À minha amada mãe,
que este livro possa despertar
a curiosidade e o conhecimento,
assim como, novas perspectivas
profissionais.

Amo-te muito,

mentes inquietas

SPLuis

João Pessoa, 15.07.13

FONTANAR

Ana Beatriz Barbosa Silva

mentes inquietas

TDAH: DESATENÇÃO, HIPERATIVIDADE E IMPULSIVIDADE

FONTANAR

Todos os direitos desta edição reservados à
EDITORA OBJETIVA LTDA.
Rua Cosme Velho, 103
Rio de Janeiro — RJ — CEP: 22241-090
Tel.: (21) 2199-7824 — Fax: (21) 2199-7825
www.objetiva.com.br

Capa
Luciana Gobbo

Imagens de capa
Getty Images

Ilustração da p. 121
Cida Calu

Revisão
Diogo Henriques
Sônia Peçanha
Eduardo Carneiro

Editoração eletrônica
Abreu's System Ltda.

CIP-BRASIL. CATALOGAÇÃO-NA-FONTE
SINDICATO NACIONAL DOS EDITORES DE LIVROS, RJ

S578m

Silva, Ana Beatriz B. (Ana Beatriz Barbosa)
Mentes inquietas : TDAH : desatenção, hiperatividade e impulsividade / Ana Beatriz Barbosa Silva. - Rio de Janeiro : Objetiva, 2009.

271p. ISBN 978-85-7302-976-5

Inclui bibliografia

1. Distúrbio do deficit de atenção com hiperatividade. 2. Crianças hiperativas. I. Título.

09-3880. CDD: 618.928589
CDU: 616-008.61

SUMÁRIO

À memória de minhas avós, que me fizeram acreditar nas pessoas "do bem".

A meus pais, por serem estas pessoas.

AGRADECIMENTO ESPECIAL *(in memoriam)*

A Angela Souza Leão (Anginha), pela torcida, pela colaboração e pelo incentivo — que resultaram na realização e na publicação da primeira edição deste livro —, e que não pôde ver nada disso florescer.

INTRODUÇÃO

Todos já ouvimos falar de crianças hiperativas, que não conseguem ficar paradas, correm de um lado a outro, escalam móveis e vivem "a mil", como se estivessem "plugadas na tomada"; ou daquelas desastradas, desajeitadas, que não conseguem prestar atenção em nada, que sonham acordadas e que se distraem ao menor dos estímulos. Não raro apresentam dificuldades de aprendizagem e de relacionamento, transformam a sala de aula em campo de guerra, gerando incompreensão de pais, amigos e professores. Frequentemente recebem rótulos de rebeldes, mal-educadas, indisciplinadas, burras, preguiçosas, cabeças de vento, birutas, pestinhas...

Da mesma forma, é muito comum ouvirmos histórias de adultos (homens e mulheres) desorganizados, enrolados, impacientes, cheios de energia, que estão sempre em busca de algo novo e estimulante, que iniciam vários projetos simultaneamente e os abandonam no meio do caminho. Apresentam altos e baixos repentinos, são impulsivos, esquecem compromissos importantes, perdem objetos constantemente, falam o que lhes dá na "telha", não param em empregos e trocam de relacionamentos amorosos como se estivessem mudando de roupa.

Comportamentos como esses, dependendo da intensidade e frequência, são característicos do transtorno do deficit de atenção/hiperatividade (TDAH), popularmente conhecido como hiperatividade, classificado pela Associação de Psiquiatria Americana (APA).[1]

---

1. Descrito no DSM-IV: *Manual Diagnóstico e Estatístico de Transtornos Mentais*, 4ª edição.

O TDAH se caracteriza por três sintomas básicos: desatenção, impulsividade e hiperatividade física e mental. Costuma se manifestar ainda na infância e em cerca de 70% dos casos o transtorno continua na vida adulta. Ele acomete ambos os sexos, independentemente do grau de escolaridade, situação socioeconômica ou nível cultural, o que pode resultar em sérios prejuízos na qualidade de vida das pessoas que o têm, caso não sejam diagnosticadas e orientadas precocemente.

Ao longo do livro, você poderá observar que o transtorno se revela de várias formas: ora com predomínio de desatenção,[2] ora com a hiperatividade e a impulsividade mais marcantes[3] ou até mesmo com todos os sintomas agrupados numa só pessoa.[4] Desta forma, com o único propósito de facilitar a leitura, resolvi utilizar a sigla TDA para designar o deficit de atenção em toda sua gama de manifestações — com ou sem hiperatividade física —, bem como adjetivar as pessoas que apresentam esse modo diferente de ser. Essa denominação aparecerá com estes dois sentidos: adjetivo e substantivo. No primeiro caso, quando me refiro ao transtorno em si; no segundo, quando me dirijo ao indivíduo com esse funcionamento mental. A pessoa nasce assim e, portanto, podemos dizer que ela é TDA.

Escrever sobre o assunto foi, de certa forma, a maneira que encontrei de homenagear o ser humano, principalmente no que concerne ao seu talento essencial e potencial criativo, algo que os TDAs têm de sobra. Não importa a proporção ou o alcance que tenham os seus feitos — que mude o rumo da humanidade ou de apenas uma vida —, o que vale é a vontade de realizar algo novo, de abrir novos caminhos.

Longe do conceito de doença, a meu ver, o TDA trata-se de um funcionamento mental acelerado, inquieto, que produz in-

---

2. Tipo predominantemente desatento.
3. Tipo predominantemente hiperativo-impulsivo.
4. Tipo combinado.

cessantemente ideias que, por vezes, se apresentam de forma brilhante ou se amontoam de maneira atrapalhada, quando não encontram um direcionamento correto. Posso imaginar a grande multidão de anônimos que, neste momento, encontram-se deslocados em suas vidas, mergulhados em rotinas desgastantes, considerados inadequados ou incompetentes e que, na verdade, carregam em suas mentes tesouros para a humanidade. Também não são poucos os pais aflitos e exaustos com o caos que seus rebentos travessos e avoados ocasionam e que os fazem pensar que falharam na educação dos mesmos.

Até hoje, a desinformação acerca do assunto é um dos maiores entraves na vida de um TDA. Por isso, este livro me parece ser uma forma de contribuir para que pessoas com este comportamento mental (ou as de seu convívio) possam encontrar respostas a tantas indagações, angústias e sofrimentos, ao longo de suas vidas. Quem sabe, a partir daí, dar início ou continuidade ao processo vital e inerente a cada ser humano: a busca da sua felicidade. Não restam dúvidas de que este processo só pode ser concluído quando talentos e potencialidades forem despertados e direcionados, não somente à realização individual, como também em prol de uma sociedade. Afinal, só o saber constitui o verdadeiro poder, tão necessário às mudanças reais.

É interessante que, quando penso em TDA, logo me vem à mente a história do "Patinho Feio", que acompanhou minha infância e que a muitas crianças ainda emociona. Criado como se fosse um pato e considerado diferente dos demais, ele foi rejeitado pela própria mãe. Seu andar desengonçado e sua aparência estranha provocavam risos e desprezo em todos os outros animais. Triste e sozinho no mundo, um dia ele viu sua imagem refletida num pequeno lago. Percebeu que não era um pato e tampouco feio. Descobriu-se um belo cisne e juntou-se aos seus pares para uma nova vida.

No dia a dia, encontramos pessoas que transformam suas histórias comuns em verdadeiros exemplos de criatividade, ousadia e coragem. São muitos TDAs que, de alguma forma e intuitivamente, conseguiram encontrar sozinhos um caminho que lhes possibilitou o aproveitamento de suas habilidades naturais.

No entanto, muitos outros permanecem perdidos, tolhidos e inconscientes dos seus próprios talentos, achando-se inferiores e incapazes de colocar em prática os seus projetos mentais. Travam lutas diárias consigo mesmos, percorrem trilhas tortuosas e malsucedidas em busca de ajuda profissional e passam a crer que não servem para nada. São "patinhos feios", tentando, desesperadamente, entender seus desacertos, sonhando com o dia em que se transformarão em belas aves autoconfiantes, cumprindo seus propósitos.

Desde a primeira publicação de *Mentes Inquietas*, em 2003, pude perceber que inúmeros leitores se identificaram com a narrativa e os relatos ali descritos e, sem querer, se viam diante de um espelho, cujas histórias pessoais se refletiam com riqueza de detalhes. Felizmente, muitos procuraram por ajuda especializada e, hoje, grande parte deles aceitou e entendeu seu modo de ser, mudou sua forma de agir e pensar, e conseguiu canalizar seus impulsos e ideias para algo realmente produtivo. Transformaram-se em cisnes reais.

Nesta nova publicação, foram feitas várias alterações, que os leitores das edições anteriores perceberão; a começar pelo ajuste no subtítulo e pela nova sigla que passei a adotar – antes DDA, agora TDA. As medicações utilizadas para minimizar os desconfortos causados pelo transtorno foram atualizadas e, por fim, acrescentei um tópico com dicas para o gerenciamento do TDA na escola. Acredito que o esforço de pais, educadores e terapeutas faz a grande diferença para que os TDAs possam reconstruir sua autoestima e despertar o que têm de melhor: o seu potencial criativo.

Nunca me propus a desenvolver uma obra com abuso de termos técnicos ou de profundidade tamanha a dificultar a leitura do leigo. Deixo isso para os livros acadêmicos, as pesquisas e os artigos científicos. Uma abordagem técnica, aqui, só aumentaria a lacuna que existe entre aquele que sofre e a informação de que necessita para dar o primeiro passo rumo ao seu conforto vital. Procurei uma linguagem clara, fluida, de fácil entendimento e com ilustrações de casos obtidos por meio da minha prática clínica diária. Busquei dar destaque à essência TDA e, como uma "escafandrista", tentei apresentar facetas íntimas desse universo que, embora já esteja amplamente divulgado, ainda é pouco conhecido pelos profissionais de saúde, de educação e do grande público em geral.

Espero iniciar aqui a abertura, mesmo que de forma parcial, do grande leque que o termo TDA representa.

Quando os astronautas foram à Lua/
Que coincidência, eu também estava lá/
Fugindo de casa, do barulho da rua/
Pra recompor meu mundo bem devagar//
Que lugar mais silencioso/
Eu poderia no universo encontrar/
Que não fossem os desertos da Lua/
Pra recompor meu mundo bem devagar

"No Mundo da Lua"
(Biquini Cavadão — Alvaro, Bruno,
Miguel e Sheik)

CAPÍTULO 1

O que é o TDA?

UM TRIO DE RESPEITO: DISTRAÇÃO, IMPULSIVIDADE E HIPERATIVIDADE...

Quando pensamos em TDA, não devemos raciocinar como se estivéssemos diante de um cérebro "defeituoso". Devemos, sim, olhar sob um foco diferenciado, pois, na verdade, o cérebro do TDA apresenta um funcionamento bastante peculiar, que acaba por lhe trazer um comportamento típico, que pode ser responsável tanto por suas melhores características como por suas maiores angústias e desacertos vitais.

O comportamento TDA nasce do que se chama trio de base alterada. É a partir desse trio de sintomas — formado por alterações da atenção, da impulsividade e da velocidade da atividade física e mental — que se irá desvendar todo o universo TDA, que, muitas vezes, oscila entre o universo da plenitude criativa e o da exaustão de um cérebro que não para nunca.

Por esse motivo, será feita agora uma análise minuciosa do trio de sintomas que constitui a espinha dorsal do comportamento TDA:

ALTERAÇÃO DA ATENÇÃO: Este é, com certeza, o sintoma mais importante no entendimento do comportamento TDA, uma vez que esta alteração é condição *sine qua non* para se efetuar o diagnóstico. Uma pessoa com comportamento TDA pode ou não apresentar hiperatividade física, mas jamais deixará de apresentar forte tendência à dispersão.

Para um adulto TDA, manter-se concentrado em algo, por menor tempo que seja, pode ser um desafio tão grande como para um atleta de corrida com obstáculos que precisa transpor barreiras cada vez maiores até chegar ao fim da pista. Essa dificuldade em se manter concentrado em determinado assunto, pensamento, ação ou fala, muitas vezes, causa situações bastante desconfortáveis ao adulto TDA. Exemplo disso é o fato de estar em reuniões importantes de trabalho ou de família e, de repente, desviar seus pensamentos para pequenas coisas como o horário do jogo de seu time no dia seguinte, a roupa que irá usar para ir ao cinema à noite ou mesmo se o carro está suficientemente limpo para dar carona ao chefe. Várias vezes, o adulto TDA é flagrado por seus parceiros ou patrões nesses lapsos de atenção, acarretando desde pequenas a grandes discussões. Pode-se constatar isso pela angustiada declaração de Diana, 22 anos, estudante de fonoaudiologia, que relata suas dificuldades de se manter concentrada quando em aula ou em outras situações acadêmicas:

> *Sabe, eu sempre me perguntei por que divagava tanto quando estava assistindo às aulas, ou sob supervisão. Algo em que eu deveria e também precisaria prestar atenção. Eu imaginava por que cargas-d'água isso tinha que acontecer comigo, já que sempre fui perfeccionista. Eu me recriminava; achava que só poderia ser alguma falha de caráter e que, no fundo, deveria ser uma desinteressada de tudo. Afinal, eu olhava para a face de minha supervisora nos orientando em pontos importantes e, embora no início conseguisse acompanhar, depois de certo tempo via o rosto dela se transformar em uma tela de cinema, onde se passavam vários acontecimentos de minha vida, planejamentos, ou, ainda, imaginava o que estava por vir: fantasias, sonhos... Quando eu voltava ao tempo e espaço presentes, já não fazia a menor ideia do que havia sido dito. Muita gente usa a expressão "pegar o bonde andando" para descrever uma situação em que você pega algo no meio e não entende nada... Mas para um TDA, eu acho que é o contrário: você pega o bonde parado, fica nele até certo ponto e depois cai. O bonde continua e você fica pra trás.*

Com o passar do tempo, o próprio TDA se irrita com seus lapsos de dispersão, pois estes acabam gerando, além dos problemas de relacionamento interpessoal, grande dificuldade de organização em todos os setores de sua vida. Essa desorganização gera um gasto de tempo e de esforço muito maior do que o necessário para realizar suas tarefas cotidianas. Tal situação pode ser comparada a um carro cujo motor desregulado consome bem mais combustível e submete suas peças a um maior desgaste, resultando em menor durabilidade e desempenho.

Muitos TDAs descrevem períodos de profundo cansaço mental e às vezes físico. Alguns usam a expressão "cansaço na alma" para descrever seu estado após a realização de tarefas nas quais se forçaram em permanecer concentrados por obrigação. Por exemplo, a entrega de um trabalho profissional que tiveram que realizar como um dever, com prazo determinado e sem nenhuma paixão pelo que fizeram. No entanto, na grande maioria das vezes, os resultados desses trabalhos são muito bons — quando não, excelentes —, mas para o TDA fica sempre a sensação de um resultado ruim. Esse julgamento equivocado é provocado, em parte, pela desatenção de um cérebro envolto em uma tempestade de pensamentos incessante, que dificulta a canalização de seus esforços na realização de trabalhos com metas e prazos preestabelecidos.

A estudante de fonoaudiologia relata também várias situações comuns a um TDA e a fraca avaliação ou a consciência que tem acerca da própria competência:

> *Aqueles trabalhos escritos que precisam ser feitos dezenas de vezes na faculdade, como dissertações, pesquisas, sempre foram sinônimos de terror pra mim. Todo início de período eu jurava que seria diferente: não entregaria os trabalhos em cima da hora, prestaria atenção durante todo o período da aula, anotaria as explicações dos professores e depois passaria a limpo de forma organizada. Na realidade, os meus apontamentos sempre ficavam uma "zona", além de incompletos, porque eu sempre "caía do bonde". Invariavelmente, eu pedia emprestado o caderno das colegas que conseguiam fazer o que para mim era impossível, e tirava fotocópias.*

O mais engraçado era que, na maioria das vezes, eu tirava notas maiores que as delas, usando o mesmo material. Mas no caso de trabalhos dissertativos, eu sempre deixava para os 45 minutos do segundo tempo. Fazia no maior desespero, achava uma porcaria, e os professores adoravam! Eu ficava sem entender nada, eu me achava uma fraude. Sempre desejei fazer os trabalhos de uma forma disciplinada... o curioso é que nas poucas vezes que consegui, não saíram tão bons, pelo menos na avaliação dos professores.

É importante destacar que o termo transtorno do deficit de atenção não traduz com precisão, ou mesmo com justiça, o que ocorre com a função da atenção no TDA. Se por um lado o adulto e a criança TDAs têm profunda dificuldade em se concentrar em determinado assunto ou enfrentar situações que sejam obrigatórias, por outro lado podem se apresentar hiperconcentrados em outros temas e atividades que lhes despertem interesse espontâneo ou paixão impulsiva. Exemplos disso são as crianças com jogos eletrônicos ou adultos com esportes, computadores ou leitura de assuntos específicos. Em tais casos, tanto as crianças como os adultos TDAs terão dificuldade em se desligar ou desviar sua atenção para outras atividades. Essa característica pode até causar desentendimentos e alguns problemas de relacionamento, caso os parceiros desconheçam ou não compreendam o problema. Veja o que contou George, jovem advogado de 26 anos, apaixonado por hardware de computadores:

Minha namorada estava com um problema no computador. Um componente estava mal instalado, e ela não conseguia conectar-se à Internet. Imediatamente fui à sua casa ver o que poderia fazer. Eu fiquei lá, absorto, futucando a máquina. Nem me dei conta de que seus familiares tinham saído para um compromisso. Estávamos a sós, e não nos víamos havia quase uma semana. Mas eu estava teimando com o computador. Ela chegou de mansinho, me acariciou, beijou meu pescoço e eu completamente focado na máquina. Ela continuou: tirou minha blusa, virou a minha cadeira e só neste momento percebi o que estava acontecendo. Levei aproximadamente uns cinco minutos para perceber uma situação que qualquer pessoa captaria em segundos! A minha sorte é que ela conhece essa minha característica, é supercompreensiva e até hoje nos lembramos desse episódio e damos boas risadas.

Pelo que foi visto, o uso do termo deficit de atenção pode levar a um entendimento incorreto da capacidade atentiva de um TDA e, por isso mesmo, preferimos usar o termo "instabilidade de atenção", que nos parece ser mais correto que o termo deficit, já que este traz consigo somente a ideia pejorativa de uma deficiência absoluta e imutável.

IMPULSIVIDADE: Antes de tudo, deve-se ter em mente que a palavra impulso tem um significado próprio: 1) ação de impelir; 2) força com que se impele; 3) estímulo, abalo; 4) ímpeto, impulsão. Todas essas definições literais irão ajudar a entender a maneira pela qual o TDA reage diante dos estímulos do mundo externo. Pequenas coisas são capazes de lhe despertar grandes emoções, e a força dessas emoções gera o combustível aditivado de suas ações.

A mente de um TDA funciona como um receptor de alta sensibilidade que, ao captar um pequeno sinal, reage automaticamente sem avaliar as características do objeto gerador do estímulo. Um exemplo simples dessa situação seria o caso de um caçador que, ao detectar um simples ruído na floresta, põe em disparo uma AR-15, a fim de abater sua caça. Poucos minutos após a rajada de tiros, descobre que a sua grande presa não passava de um inofensivo tatu que apenas abrira um pequeno buraco no solo, com o intuito de se abrigar.

Quanta energia em vão! Exagerado! — diria a maioria das pessoas. Mas, na verdade, tudo não passou de um ato impulsivo, ou seja, disparou, depois pensou. E, com certeza, lamentou! Tanta apreensão, tanta adrenalina, tanta taquicardia, tudo agora está no chão ao redor da pequena residência do tatu — que, graças a Deus e à sua agilidade, encontra-se vivo, feliz e aquecido em sua morada.

Essa pequena história-piada pode gerar risos. No entanto, se pensarmos na vida real, em que tatus são pessoas e caçadores são TDAs impulsivos, pode-se imaginar quanto sofrimento, culpa, angústia e cansaço um impulso sem filtro pode ocasionar nos relacionamentos cotidianos de uma dessas pessoas. E é justamente isso que acontece com crianças e adultos TDAs.

Crianças costumam dizer o que lhes vem à cabeça, envolver-se em brincadeiras perigosas, brincar de brigar com reações exageradas, e tudo isso pode render-lhes rótulos desagradáveis como "mal-educada", "má", "grosseira", "agressiva", "estraga-prazeres", "egoísta", "irresponsável", "autodestrutiva" etc. Nas crianças TDAs esses comportamentos são, além de mais intensos, mais frequentes. E, é claro, isso será um dos fatores de grande influência na formação de uma autoestima cheia de "buracos". Todo TDA, na vida adulta, apresentará problemas com sua autoestima, e este é o maior de todos os desafios de seu tratamento: a reconstrução dessa função psíquica que, em última análise, constitui o espelho da própria personalidade.

No adulto TDA, a impulsividade também trará sérias consequências, além daquelas já trazidas em sua bagagem infantil. Ele terá aprendido a diminuir determinados riscos vitais, como olhar antes de atravessar uma rua, praticar certos esportes com proteções adequadas ou desligar o gás do aquecedor. No entanto, seu impulso verbal pode continuar a lhe trazer sérios problemas, principalmente em situações em que esteja sob forte impacto afetivo ou sob pressão pessoal. Em tais situações pode-se ver um TDA adulto que, em meio a uma discussão com a esposa, olha para ela e diz: "Estou enjoado de você, não aguento mais ouvir sua voz irritante." Ou, ainda, disparar para o chefe: "Gordo, barrigudo e careca não pode mesmo ser feliz", após ter sido criticado por este na frente de todos no escritório. Atitudes assim, impensadas, podem levar o TDA adulto a viver numa constante instabilidade: entra e sai de diversos relacionamentos, empregos e grupos sociais. A impulsividade verbal é assim relatada por Caetano, arquiteto de 32 anos:

> *Eu sempre me enrolava com prazos e tarefas que deveriam ser executados em uma sequência definida. Quando minha sócia me perguntava como estava este ou aquele projeto, eu me enrolava todo, fosse porque estava tocando tudo de forma atabalhoada ou porque ainda não tinha resolvido alguma questão importante. Respondia a primeira coisa que me vinha à cabeça na ânsia de me justificar, sempre na defensiva. Até mesmo quando tudo estava correndo muito bem, eu era um desacerto. Talvez porque, lá no fundo, eu sempre tinha a sensação de que algo estava errado, de que eu estava falhando em alguma coisa ou que não estava sendo cuidadoso o bastante. Muitas vezes respondia coisas idiotas, deixava minha sócia sem entender nada, enrolava mais ainda o meio de campo e depois gastava horas ruminando pensamentos: "que eu poderia ter dito isso ou aquilo", "como vou desdizer aquelas bobagens", num bate-bola mental sem fim. Muitas vezes pensava que seria melhor se eu fosse mudo, que deveria tapar minha boca com um esparadrapo e uma supercola.*

Se o comportamento dos TDAs não for compreendido e bem administrado por eles próprios e pelas pessoas com quem convivem, consequências no agir poderão se manifestar sob diferentes formas de impulsividade, tais como: agressividade, descontrole alimentar, uso de drogas, gastos demasiados, compulsão por jogos, tagarelice incontrolável.

Para alguns adultos TDAs, aprender a controlar ou redirecionar seus impulsos para algo positivo (esportes, artes etc.) pode, muitas vezes, ser uma questão de vida ou morte. Ou melhor, uma questão de escolher viver a vida em sua plenitude ou buscar o fim antes do último capítulo. No entanto, o que se vê, na maioria absoluta dos TDAs, é que, em suas essências, eles têm um profundo amor à vida. Passam a maior parte de seu tempo buscando emoções, aventuras, projetos, amores, tudo para viver mais intensamente. Arriscaríamos dizer que os TDAs jamais buscam a morte. Podem, sem querer, chegar bem perto dela, mas certamente não era para lá que se dirigiam e sim para a vida. Esta vida que, para eles, de tão interessante, por vezes chega a doer. E é na busca dessa vida dentro da vida que está o impulso mais forte de todo TDA. Para eles tudo é MUITO. Muita dor, muita alegria, muito prazer, muita fé, muito desespero. E, se pudermos fazê-los ver a força poderosa que esse impulso pode ter, quando bem direcionado na construção de uma existência que valha tanto a eles quanto à humanidade, teremos feito a nossa parte nesse processo.

HIPERATIVIDADE FÍSICA E MENTAL: É muito fácil identificar a hiperatividade física de um TDA. Quando crianças, eles se mostram agitados, movendo-se sem parar na sala de aula, em sua casa ou mesmo no *playground*. Por vezes chegam a andar aos pulos, como se seus passos fossem lentos demais para acompanhar a energia contida nos músculos. Em ambientes fechados, mexem em vários objetos ao mesmo tempo, derrubando grande parte deles no ímpeto de checá-los simultaneamente. São crianças que costumam receber designações pejorativas como: "bicho-carpinteiro", "elétricas", "desengonçadas", "pestinhas", "diabinhos", "desajeitadas".

Já nos adultos, essa hiperatividade costuma se apresentar de forma menos exuberante, o que fez, no passado, com que alguns estudiosos pensassem que o TDA tendia a desaparecer com o término da adolescência. Hoje se sabe que isso não é verdade. O que ocorre é uma adequação formal da hiperatividade à fase adulta. Os TDAs adultos certamente não são hiperativos a ponto de pularem no sofá de casa ou escalarem os móveis do escritório. No entanto, podemos observar a hiperatividade física naqueles que "sacodem" incessantemente as pernas, "rabiscam" com constância papéis à sua frente, roem unhas, mexem o tempo todo nos cabelos, "dançam" em suas cadeiras de trabalho e estão sempre buscando algo para manter as mãos ocupadas.

A hiperatividade mental ou psíquica apresenta-se de maneira mais sutil, o que não significa, em hipótese alguma, que seja menos penosa que sua irmã física. Ela pode ser entendida como um "chiado" cerebral, tal qual um motor de automóvel desregulado que acaba por provocar um desgaste bastante acentuado. É o adulto que interrompe a fala do outro o tempo todo, muda de assunto antes que o seu interlocutor possa elaborar uma resposta e que não dorme à noite porque seu cérebro fica tão agitado que não consegue se desligar. Essa agitação psíquica é parcialmente responsável pela inaptidão social que muitos TDAs apresentam e que se traduz em problemas para fazer e conservar amigos. O "chiado" de seus cérebros muitas vezes os impede de interpretar corretamente as "deixas" sociais tão necessárias no estabelecimento e na manutenção das relações humanas. É como se a vida dessas pessoas tivesse transcorrido, desde a infância, num redemoinho de atividades e pensamentos tão intensos que não tiveram tempo nem capacidade de sintonia para aprender a difícil arte de interpretar os outros.

A energia hiperativa de um TDA pode causar-lhe incômodos cotidianos, principalmente se ele precisar se adequar ao ritmo não tão elétrico dos não TDAs. Para um TDA hiperativo, até mesmo uma escada rolante pode se tornar sinônimo de tortura. É o que declara, em tom exasperado e irritadíssimo, Bruno, contador, 45 anos, que toma o metrô diariamente para ir ao escritório:

> *Pra mim o metrô é o transporte mais prático, mas todo santo dia eu me estresso. O problema é que parece que as outras pessoas não são tão dinâmicas quanto eu. Eu me sinto tolhido porque, no meio da multidão, tenho que me reduzir à velocidade delas. O exemplo mais destacado pra mim é a escada rolante na hora do rush. O que é uma escada rolante para mim? É uma maximizadora de velocidade. Eu a subo normalmente como se fosse uma escada comum, e, como ela se movimenta também, chego mais rapidamente ao topo. Deveria ser esta a função dela: impulsionar! Mas geralmente as pessoas usam a escada rolante como descanso! Elas param em um degrau, placidamente, e deixam a*

escada levá-las. O pior é que, ao fazerem isso, as outras pessoas que estão atrás e com pressa são obrigadas a puxar o "freio de mão". Ou seja, elas param e também empacam as outras pessoas degraus abaixo. Se existem aqueles tipos humanos conhecidos como "gente que faz", certamente não são essas. Fico inquieto e ansioso! Quero me mover, agitar. Sinto-me como um felino enjaulado, paralisado por um bando de pacas.

Em função de tudo que foi dito a respeito da tríade de base alterada no funcionamento TDA, resolvemos elaborar, com base empírica advinda da experiência clínica, uma tabela com 50 critérios sugeridos para TDA na população adulta. Procuramos, dentro do possível, buscar características relacionadas com a vida cotidiana, visando facilitar não somente a autoidentificação, como também o reconhecimento dos sintomas em outra pessoa.

Ao ler a lista a seguir, considere a frequência e a intensidade com as quais as situações ocorrem e pense na possibilidade de caracterizar um funcionamento TDA se, pelo menos, 35 das opções forem positivas. Cabe destacar, ainda, que a lista foi subdividida em quatro grandes grupos para enfatizar situações decorrentes dos sintomas primários do TDA (desatenção, hiperatividade e impulsividade), bem como situações secundárias. Isto é, aquelas que quase sempre aparecerão como consequência do próprio "desgaste" do cérebro TDA e das dificuldades crônicas enfrentadas por essas pessoas nos diversos setores de sua vida: afetivo, familiar, social, acadêmico e profissional.

1º Grupo: Instabilidade da atenção

1. Desvia facilmente sua atenção do que está fazendo quando recebe um pequeno estímulo. Um assobio do vizinho é suficiente para interromper uma leitura.

2. Tem dificuldade em prestar atenção à fala dos outros. Numa conversa com outra pessoa tende a captar apenas "pedaços" soltos do assunto.

3. Desorganização cotidiana. Tende a perder objetos (chaves, celular, canetas, papéis), atrasar-se ou faltar a compromissos, esquecer o dia de pagamento das contas (luz, gás, telefone, seguro).

4. Frequentemente apresenta "brancos" durante uma conversa. A pessoa está explicando um assunto e, no meio da fala, esquece o que ia dizer.

5. Tendência a interromper a fala do outro. No meio de uma conversa lembra-se de algo e fala sem esperar o outro completar seu raciocínio.

6. Costuma cometer erros de fala, leitura ou escrita. Esquece uma palavra no meio de uma frase, pronuncia errado ou "come" sílabas de palavras mais longas.

7. Presença de hiperfoco — concentração intensa em um único assunto num determinado período. Um TDA pode ficar horas a fio ao computador sem se dar conta do que acontece ao seu redor.

8. Dificuldade de permanecer em atividades obrigatórias de longa duração. Participar como ouvinte de uma palestra em que o tema não seja motivo de grande interesse e não o faça entrar em hiperfoco, por exemplo.

9. Interrompe tarefas no meio. Um TDA frequentemente não lê um artigo de revista até o fim ou ouve um CD inteiro.

2º Grupo: Hiperatividade física e/ou mental

10. Tem dificuldade em permanecer sentado por muito tempo. Durante uma palestra ou sessão de cinema, costuma se mexer o tempo todo na tentativa de permanecer em seu lugar.

11. Está sempre mexendo com os pés ou as mãos. São os indivíduos que têm os pés "nervosos", girando sua cadeira de trabalho, ou que estão sempre com as mãos ocupadas, pegando objetos, desenhando em papéis ou ainda ajeitando a roupa ou os cabelos.

12. Apresenta constante sensação de inquietação ou ansiedade. Um TDA sempre tem a sensação de que tem algo a fazer ou pensar, de que alguma coisa está faltando.

13. Tendência a estar sempre ocupado com alguma problemática em relação a si ou com os outros. São as pessoas que ficam "remoendo" sobre suas falhas cometidas, ou ainda sobre os problemas de amigos ou conhecidos.

14. Costuma fazer várias coisas ao mesmo tempo. É a pessoa que lê e vê TV ou ouve música simultaneamente.

15. Envolve-se em vários projetos ao mesmo tempo. Um exemplo é a pessoa que tem diversas ideias simultaneamente e acaba por não levar a cabo nenhuma delas em função desta dispersão.

16. Às vezes se envolve em situações de alto risco em busca de estímulos fortes, como dirigir em alta velocidade.

17. Frequentemente fala sem parar, monopolizando as conversas em grupo. É a pessoa que fala sem se dar conta de que as outras estão tentando emitir suas opiniões. Além disso, não se dá conta do impacto que o conteúdo do seu discurso pode estar causando a outras pessoas.

3º Grupo: Impulsividade

18. Baixa tolerância à frustração. Quando quer algo não consegue esperar, se lança impulsivamente numa tarefa, mas, como tudo na vida requer tempo, tende a se frustrar e desanimar facilmente. O TDA também se irrita com facilidade quando alguma coisa não sai da forma esperada ou quando é contrariado.

19. Costuma responder a alguém antes que este complete a pergunta. Não consegue conter o impulso de responder ao primeiro estímulo criado pelo início de uma pergunta.

20. Costuma provocar situações constrangedoras, por falar o que vem à mente sem filtrar o que vai ser dito. Durante uma discussão, um TDA pode deixar escapar ofensas impulsivas.

21. Impaciência marcante no ato de esperar ou aguardar por algo. Filas, telefonemas, atendimento em lojas ou restaurantes podem ser uma tortura.

22. Impulsividade para comprar, sair de empregos, romper relacionamentos, praticar esportes radicais, comer, jogar etc. É aquela pessoa que rompe um relacionamento várias vezes e volta logo depois, arrependida.

23. Reage irrefletidamente às provocações, críticas ou rejeição. É o tipo de pessoa que explode de raiva ao sentir-se rejeitada.

24. Tendência a não seguir regras ou normas preestabelecidas. Um exemplo seria o trabalhador que teima em não usar equipamentos de segurança, apesar de saber da importância destes.

25. Compulsividade. Na realidade a compulsão ocorre pela repetição constante dos impulsos, os quais, com o tempo, passam a fazer parte da vida dessas pessoas, como as compulsões por compras, jogos, alimentação etc.

26. Sexualidade instável. Tende a apresentar períodos de grande impulsividade sexual alternados com fases de baixo desejo.

27. Ações contraditórias. Um TDA é capaz de ter uma explosão de raiva por causa de um pequeno detalhe (por mexerem em sua mesa de trabalho, por exemplo) numa hora e, poucos momentos mais tarde, ser capaz de uma grande demonstração de afeto, através de um belo cartão, flores ou um carinho explícito. Ou ainda ser um homem arrojado e moderno no trabalho e, ao mesmo tempo, tradicional e conservador no âmbito familiar e afetivo.

28. Hipersensibilidade. O TDA costuma melindrar-se facilmente. Uma simples observação desfavorável sobre a cor de seus sapatos é suficiente para deixá-lo internamente arrasado, sentindo-se inadequado.

29. Hiperreatividade. Essa é uma característica que faz com que o TDA se contagie facilmente com os sentimentos dos outros. Pode ficar profundamente triste ao ver alguém chorar, mesmo sem saber o motivo, ao mesmo tempo que pode ficar muito agitado ou irritado em ambientes barulhentos ou em presença de multidão.

30. Tendência a culpar os outros. Um TDA muitas vezes poderá culpar outra pessoa por seus fracassos e erros, como o aluno que culpa o colega de turma por ter errado em uma questão da prova, já que este colega estava cantarolando baixinho na hora.

31. Mudanças bruscas e repentinas de humor (instabilidade de humor). O TDA costuma mudar de humor rapidamente e várias vezes no mesmo dia. Isso depende dos acontecimentos externos ou ainda de seu estado cerebral, uma vez que o cérebro do TDA pode entrar em exaustão, prejudicando a modulação do seu estado de humor.

32. Tendência a ser muito criativo e intuitivo. O impulso criativo do TDA é talvez a maior de suas virtudes. Pode se manifestar nas mais diversas áreas do conhecimento humano.

33. Tendência ao "desespero". Quando um TDA se vê diante de uma dificuldade — seja ela de qualquer ordem —, tende a vê-la como algo impossível de ser transposto e, com isso, sente-se tomado por uma grande sensação de incapacidade. Sua primeira reação é o "desespero". Só mais tarde consegue raciocinar e constatar o verdadeiro "peso" que o problema tem. Isso ocorre porque seu cérebro apresenta dificuldades em acionar uma parte da memória chamada funcional, cujo objetivo é trazer à mente situações vividas no passado e utilizá-las como instrumentos capazes de ajudar a encontrar saídas para as mais diversas problemáticas. Essa memória funcional parece ser bloqueada pela ativação precoce da impulsividade que, nesse tipo de pessoa, encontra-se hiperacionada.

4º Grupo: Sintomas secundários

34. Tendência a ter um desempenho profissional abaixo do esperado para sua real capacidade.

35. Baixa autoestima. Em geral o TDA sofre desde muito cedo uma grande carga de repreensões e críticas negativas. Sem compreender o porquê disso, com o passar do tempo, ele tende a se ver de maneira depreciativa ou menos capaz que os demais.

36. Dependência química. Pode ocorrer como consequência do uso abusivo e impulsivo de drogas durante vários anos.

37. Depressões frequentes. Ocorrem em geral por uma exaustão cerebral associada às frustrações provenientes de relacionamentos malsucedidos e fracassos profissionais e sociais.

38. Intensa dificuldade em manter relacionamentos afetivos, conforme será visto na parte referente à dificuldade afetiva dos TDAs.

39. Demora excessiva para iniciar ou executar algum trabalho. Tais fatos ocorrem pela combinação nada produtiva de desorganização aliada a uma grande insegurança pessoal.

40. Baixa tolerância ao estresse. Toda situação de estresse leva a um desgaste intenso da atividade cerebral. No caso de um cérebro TDA, esse desgaste se apresenta de maneira mais marcante.

41. Tendência a apresentar um lado "criança" que aparecerá, por toda a vida, na forma de brincadeiras, humor refinado, caprichos, pensamentos mágicos e intensa capacidade de fantasiar fatos e histórias.

42. Tendência a tropeçar, cair ou derrubar objetos. Isso ocorre em função da dificuldade de se concentrar naquilo que se propõe a fazer e de controlar ou coordenar a intensidade de seus movimentos.

43. Tendência a apresentar uma caligrafia ruim ou de difícil entendimento.

44. Tensão pré-menstrual muito marcada. Ao que tudo indica, em função das alterações hormonais durante esse período, que intensificam os sintomas do TDA. A retenção de líquido que ocorre durante os dias que antecedem a menstruação parece ser um dos fatores mais importantes.

45. Dificuldade em orientação espacial. Encontrar o carro no estacionamento do shopping quase sempre é um desafio para um TDA.

46. Avaliação temporal prejudicada. Esperar por um TDA pode ser algo muito desagradável, pois em geral sua noção de tempo nunca corresponde ao tempo real.

47. Tendência à inversão dos horários de dormir. Em geral adormece e desperta tardiamente, por isso alguns deles acabam se viciando em tranquilizantes, ansiolíticos ou hipnóticos.

48. Hipersensibilidade a ruídos, principalmente se repetitivos. Uma torneira pingando pode ser o suficiente para irritar ou desconcentrar um TDA.

49. Tendência a exercer mais de uma atividade profissional, simultânea ou não.

E, finalmente, o critério que não se enquadra em nenhum dos quatro grupos de sintomas, mas tem sua relevância confirmada pelos estudos que apontam participação genética marcante na origem do transtorno:

50. História familiar positiva para TDA.

O traço TDA

Muitos podem consultar esta tabela e se sentir confusos. Afinal, tenho ou não TDA? Isso acontece quando você percebe que se encaixa bem em algumas características, mas não em sua maioria. Na verdade, alguns sintomas são, justamente, até o contrário dos seus ou de seu comportamento.

O TDA varia grandemente em intensidade, nas características e na forma como se manifesta. Pode-se dizer, em tom de brincadeira, que existe desde um "TDAzinho" até um "TDAzão".

O fato é que muitas pessoas não preenchem os critérios diagnósticos para TDA, mas apresentam, inequivocamente, alguns de seus sintomas. Em outros casos, elas podem até ter vários sintomas, porém com intensidade e frequência insuficientes para caracterizar um caso clássico de TDA. Em situações como essas, costuma-se usar o conceito de traço. O que é um traço de um transtorno psiquiátrico?

Bem, quando se olha um desenho tracejado, com linhas descontínuas e formas incompletas, consegue-se entrever sua totalidade. Pode-se saber o que está desenhado, embora vejamos claramente que o desenho não está completo. O que vemos são traços, mas há uma forma ali.

Quando se recolhem informações de um paciente, tenta-se identificar o diagnóstico para o qual estas apontam. Muitas vezes, consegue-se defini-lo; porém, em outras ocasiões, não se pode estabelecer o diagnóstico de forma definitiva. Os traços formam o esboço de algo, mas não são suficientes para se fazer a "arte-final". No entanto, um esboço não é uma figura amena. Ele aponta para algo.

No caso do TDA, pode-se não fechar o diagnóstico, mas vê-se claramente o esboço ali: traços de TDA.

Mas de onde vêm esses traços? Esta pessoa não é TDA. Por outro lado, também não é "normal".

Na verdade, hoje em dia já não se acredita que exista uma pessoa "normal", pelo menos do ponto de vista do funcionamento cerebral. Possivelmente não existe um cérebro perfeito, cujas áreas e funções tenham um desempenho homogêneo e com o máximo de suas capacidades. Segundo o médico norte-americano John Ratey, em seu livro *Síndromes Silenciosas*, a existência desse cérebro perfeito não só é improvável, como também não seria desejável.

Improvável porque o cérebro humano ainda está em pleno desenvolvimento. Como espécie, os seres humanos engatinham em comparação a outros seres existentes ou já extintos. Não restam dúvidas de que haverá muitas mudanças. Qualquer pessoa pode observar que os bebês nascidos nos dias de hoje abrem os olhos mais rapidamente que os de vinte anos atrás. Ou como o tamanho dos pés femininos aumentou. Isso só para citar mudanças extremamente visíveis e conhecidas pelas pessoas em geral. O mesmo se dá com o cérebro, embora essas mudanças não sejam tão evidentes ou mensuráveis. Hoje em dia, o cérebro precisa lidar com quantidades de informação e de estímulo muito maiores que cem anos atrás, infinitamente maiores que há milhares de anos! Assim, ao mesmo tempo que a espécie evoluiu, o ambiente também se tornou mais exigente e repleto de dados para serem processados.

Um cérebro teoricamente "normal" também seria pouco desejável. Para que determinadas áreas cerebrais possam desenvolver certas aptidões específicas e talentos, talvez seja necessário que outras regiões apresentem alguns deficits. Como seria isso?

Provavelmente, uma pessoa muito talentosa em matemática não terá o mesmo brilhantismo em linguagem ou em suas interações sociais. Da mesma forma que um talentoso romancista não será uma sumidade em física. Ter um cérebro incrivelmente dotado para o desenvolvimento de certas habilidades implica, possivelmente, um desempenho menor em outras capacidades cognitivas.

Uma criança autista, por exemplo, pode ser potencialmente talentosa em áreas como desenho e computação, apesar de seus deficits em interação social e em linguagem. Forçar essa criança autista a desenvolver habilidades de comunicação pode causar um retraimento no desenvolvimento de suas capacidades potenciais.

Esse improvável cérebro, cujas áreas e funcionamento sejam homogêneos, sem nenhum deficit, também pode, em contrapartida, não possuir nenhum superavit. Não tem problema em nada, mas, por outro lado, não é bom em nada.

Os cérebros das pessoas variam enormemente entre si e com relação a seus pontos fortes e fracos. Isso decorre em função de algumas variáveis: hereditariedade, condições que afetam a concepção e o desenvolvimento intrauterino, condições de crescimento e quantidade e qualidade de estímulos advindos do meio ambiente no qual as pessoas estão inseridas.

Já que esse cérebro perfeito não existe, é comum nos depararmos com pessoas que, por não apresentarem nenhuma forma desenvolvida e manifesta de um transtorno mental, apresentam "traços" de um ou outro transtorno. É provável que os transtornos mentais sejam exacerbações disfuncionais de características bastante comuns nas pessoas em geral. A pessoa muito organizada e sistemática pode ter, por exemplo, vários aspectos em comum com a que sofre de TOC (transtorno obsessivo-compulsivo). A diferença é que aquela não apresenta nenhum comportamento disfuncional nem sofrimento significativo em função dessas suas características. Pelo contrário, elas podem ser até bastante úteis e vantajosas. O que caracteriza a pessoa com TOC, como sendo portadora de um transtorno, é o intenso sofrimento e os prejuízos acarretados à sua capacidade de funcionar bem no cotidiano. O critério de distinção é quantitativo. Uma coisa é ser uma pessoa preocupada com limpeza, outra coisa é ser uma pessoa que lava as mãos repetidamente sem necessidade e que deixa de sair à rua e cumprimentar pessoas com medo de se contaminar. Esta última está sofrendo e encontra-se completamente tolhida.

De forma semelhante, podemos observar pessoas um tanto desorganizadas e agitadas, mas que não são impulsivas a ponto de pôr em risco seus relacionamentos, nem tão caóticas que chegam a ter seus empregos ameaçados. E que, acima de tudo, não se culpam nem sofrem intensamente por causa de suas falhas, que não conseguem evitar. Pessoas "levemente" TDAs podem não ter problemas causados pelas características do transtorno na mesma intensidade que levam os "inegavelmente" TDAs a buscar ajuda em consultórios médicos. E, caso tenham, será mais uma vez o grau de sofrimento e os prejuízos acarretados às suas atividades cotidianas que definirão a busca de ajuda por meio de tratamento.

Em medicina, usa-se o termo *forme fruste* para casos brandos de transtornos mentais. Aqui será abordado um pouco mais sobre a *forme fruste* do TDA.

O adulto "levemente" TDA por certo não deve ter muitas reclamações a fazer. Ele é dotado de um alto nível de energia e entusiasmo. Sua ligeira desorganização não é suficiente para atrapalhar o andamento de seus projetos. No trabalho, pode-se dizer que, quando sob pressão e desafio, esta pessoa consegue ter um desempenho melhor ainda.

Se você conhece uma pessoa cuja definição mais frequente é algo como "ela é cheia de pique", pode estar diante de alguém com TDA brando. Poderia ser o TDA "completo" também? Poderia, mas é possível diferenciar um do outro pela quantidade e intensidade de sintomas, como já foi dito. Se essa pessoa cheia de pique não apresenta tantos comportamentos e falas impulsivas, se não parece sofrer de baixa autoestima crônica e consegue lançar âncora quando sente que está indo à deriva, então ela pode apresentar apenas traços de TDA.

Infelizmente, é raro uma pessoa com traços de TDA chegar a um consultório médico queixando-se de seus sintomas. Como na maioria dos casos, ela pode estar com outros problemas, que julga serem mais relevantes, quando se queixa ao psiquiatra. Frequentemente considera seu jeito agitado e um pouco confuso como parte de si mesma, de sua própria personalidade. Aliás, é comum que até gostem bastante de seu "jeitinho" e não queiram mudá-lo em nada. Afinal, como já foi dito, ter alguns desses traços pode ser até bastante favorável em determinados contextos.

No entanto, algumas vezes a desorganização, a tendência a protelar e o estilo pouco objetivo podem causar incômodos a essa pessoa. Pode-se indagar se deveria então buscar tratamento. A resposta é afirmativa se o grau de desconforto experimentado por ela for capaz de lhe trazer prejuízos em suas atividades cotidianas. Certamente, tais traços "caem mal" em alguém que trabalhe em funções burocráticas, rotineiras ou repetitivas, diferentemente de alguém que atue em funções não tão rígidas e calcadas no exercício da criatividade, como um compositor ou artista. Assim, a decisão pelo tratamento será baseada em um exame cuidadoso do nível de desconforto experimentado pelo indivíduo e das exigências ambientais ao seu redor.

Nas duas faces de Eva/
A bela e a fera/
Um certo sorriso de quem nada quer/
Sexo frágil, não foge à luta/
E nem só de cama vive a mulher//
Por isso não provoque/
É cor de Rosa-choque

"Cor de Rosa-choque"
(Roberto de Carvalho e Rita Lee)

CAPÍTULO 2

Mulheres e TDA

UM PREÇO MUITO ALTO A SER PAGO E A VIA-CRÚCIS ANTES DO DIAGNÓSTICO ACERTADO: A RAINHA DO LAR EM XEQUE...

Todo dia era sempre a mesma coisa. Mal começava a dar sua aula, a professora se via às voltas com as reações em cadeia provocadas na classe por Flavinho. Aquele menino endiabrado e, ainda assim, adorável, apelidado pelos colegas de "O Pestinha", nem tanto por ter o mesmo cabelo liso e acobreado do protagonista do filme homônimo, mas sim por apresentar o mesmo comportamento. Ou melhor, pela falta dele.

Seus movimentos eram mais rápidos do que o olhar da professorinha podia acompanhar, restando a ela sentir aquele "ventinho" que provocava por onde passava. Flavinho causava enorme ansiedade à pobre "tia", que, além de todos os afazeres, ainda precisava localizar o menino em aula, já que sentado quieto em sua carteira certamente não estaria. Isso sem falar na bagunça generalizada, nos "crashs", "tums" e "aaiiis" que faziam seu coração disparar.

Sim, ela já tinha ouvido falar em meninos assim na faculdade de pedagogia. Ele só podia ser hiperativo! Precisava falar com a psicopedagoga da escola, pois devia ter o chamado transtorno do deficit de atenção.

Totalmente preocupada em pôr fim à guerrinha de bolinhas de papel iniciada por Flavinho, a jovem professora estava alheia por completo à menina sentada na fila da parede, lá pelo meio da sala, olhando pensativa pela janela e que parecia não se dar conta da divertida bagunça que campeava entre seus coleguinhas. Todos os dias eram assim e aparentemente não havia por que se preocupar com aquela tranquila menininha, que mal se mexia na cadeira. Mas o que a professora não sabia era que, por debaixo da antiga carteira escolar de madeira escura, inteiriça, um par de pezinhos balançava irrequieto, na mesma velocidade dos pensamentos de sua dona:

> *...adoraria estar cavalgando sobre aquela nuvem. Ela parece um camelo do deserto. Ou seria um dro... um dromedário... Ah, não sei! Mas um tem duas corcundas, outro tem uma. O daquela nuvem só tem uma. E deve ser bem macia, tipo algodão... e eu veria tudo pequenino lá de cima...*

Em seguida, os olhos da garotinha captaram algo dourado movendo-se por sobre o muro da escola, lá embaixo. "Nossa! Nunca vi um gato tão gordo! E amarelo! E lindo! Parece o Pikachu! Como naquele episódio em que ele pulava a cerca..."

A menininha sonhadora tinha os movimentos do corpo um tanto contidos, mas sua mente saltava rapidamente de um devaneio a outro, ainda mais veloz que as perninhas incansáveis de seu colega "pestinha". Seu nome só era lembrado na hora da chamada. Absorta em sua fértil imaginação, ela estava alheia ao ditado que a jovem professora começava a passar. Por causa disso, seria mais tarde duramente repreendida em casa e aceitaria de pronto todos os adjetivos com que seus pais a definiam: preguiçosa, relaxada, "abilolada".

Invisível para sua professora, que, preocupada demais com Flavinho, só a notava momentaneamente quando percebia sua desatenção aos deveres em sala de aula, ela atravessaria os anos sofrendo com sua distração crônica. Ainda que criativa, perderia autoestima à medida que ganharia altura e peso. E hormônios.

Seu colega Flavinho, diagnosticado precocemente, não precisou passar pela mesma carga de sofrimento.

"Passando batido": o TDA feminino

Diferentemente dos homens, mulheres com TDA podem muitas vezes passar incógnitas aos olhos mais atentos. Entre elas, predomina o tipo sem hiperatividade, ao contrário de seus pares masculinos. Tal diferença, determinada por particularidades biológicas dos sexos e aliada ao componente cultural, pode contribuir para a aparente superioridade numérica da população masculina entre os que têm o diagnóstico de TDA.

Sabe-se que para cada mulher com TDA, em média, há três homens, segundo estudos recentes (esta proporção já foi considerada de cinco para um, em média). No entanto, permanece a dúvida se o TDA é realmente mais frequente em homens ou se as mulheres estão sendo subdiagnosticadas. Antes de as pesquisas lançarem maior luz sobre o tipo não hiperativo, meninas talvez até pudessem ser diagnosticadas como portadoras do transtorno do deficit de atenção, *se* fossem do tipo hiperativo.

O tipo hiperativo é o menos frequente na população feminina, mas, assim como entre os meninos, as meninas mais travessas dificilmente passam despercebidas. Ironicamente, isso poderia ser chamado de sorte. Elas podem ser precocemente diagnosticadas e poupadas da tortuosa via-crúcis que suas semelhantes do tipo desatento irão atravessar, até descobrirem a causa de tanta confusão em suas vidas: a desorganização, os esquecimentos, a sensação de serem como ETs abandonadas à própria sorte, sem jamais conseguirem se adaptar a este planeta cheio de horários a cumprir, tarefas meticulosas, prazos, obrigações e filhos.

O preço a ser pago, quando o diagnóstico de TDA não é feito, é bastante alto para uma mulher. Diferentemente dos homens, das mulheres se espera que sejam atentas, calmas e dedicadas. Que sejam organizadas e seus gestos delicados, atributos indispensáveis ao papel de boa esposa e boa mãe. Se não forem assim tão caprichosas e prendadas, elas vergam sob o peso da crítica e do julgamento externo.

Aliás, antes mesmo de chegarem à vida adulta, já sofrem com as constantes reprimendas. Sua letra não é tão benfeita quanto à da colega impecavelmente engomadinha do lado. Seu caderno não é muito organizado. Sua mochila contém um amontoado de papeizinhos amassados, lascas de lápis apontados, canetas sem tampas, tampas sem canetas. Com ou sem canetas, todas as tampas mordidinhas. Sua dificuldade em se organizar e se concentrar gera intensa ansiedade e depressão, não só pela condenação implícita ou explícita no escrutínio de familiares, professores e colegas, mas também pelo próprio desconforto e prejuízo que estas características em si já carregam. Conforme a menina vai crescendo, tornando-se uma adolescente e mulher, aumenta a carga de responsabilidade e a exigência das tarefas que deva cumprir, seja no âmbito acadêmico, seja no profissional.

A dificuldade em manter-se atenta, concentrada e levar seus afazeres a cabo pode ser agravada pelo grau de complexidade e responsabilidade crescente, inerente às ocupações de um ser humano adulto. Mas, agora, sendo adulta, a mulher com TDA não pode mais contar com a complacência que costuma ser dispensada às crianças. Ao contrário, se ela já for mãe, deverá ser capaz de dispensar tal complacência, caso queira ser considerada uma boa mãe. De qualquer forma, independentemente de querer ou não fazer jus a esse rótulo, a sociedade a julgará por essa e outras habilidades. Assim, mulheres TDAs passam por dificuldades bem específicas, durante seu desenvolvimento, que são muito diferentes daquelas dos homens.

Aos trancos e barrancos

Durante a infância, a menina com TDA provavelmente será aquela sonhadora que não chama muita atenção sobre si na sala de aula, já que em meninas é mais frequente o tipo predominantemente desatento. Sofrem com suas constantes distrações e desorganização e tendem a apresentar depressão e ansiedade em nível muito maior e recorrente que em meninas da mesma idade sem TDA, ou mesmo em relação a seus pares masculinos com TDA.

Quase sempre se sentem atoladas e ansiosas com as demandas da vida escolar. Apresentam dificuldades em completar suas tarefas e, mesmo que estejam lutando bravamente para prestar atenção ao que o professor diz, suas mentes escorregadias acabam por deixá-las, silenciosamente, à deriva, em terras distantes, paragens de sonho, recordações de acontecimentos, antecipações do que está por vir. Enfim, em múltiplos mundos paralelos.

A mocinha sonhadora, citada no início do capítulo, pode ser identificada com facilidade nesse grupo. Por ser tão distraída e, muitas vezes, imperceptível socialmente, pode ser erroneamente considerada menos inteligente do que é na verdade. Afinal, a despeito dos prejuízos que possa trazer, sua mente flutuante é com frequência muito criativa, já que produz imagens, sons e diálogos quase sem parar.

É interessante acompanhar o depoimento de Sílvia, 40 anos, mãe de duas meninas, que veio buscar tratamento para uma delas, que apresentava sintomas de TDA. Por meio de conversas sobre sua infância, ela descobriu que também apresentava o transtorno, e do tipo mais desatento:

> *Não sei quantas vezes durante a minha infância ouvi frases do tipo "preste atenção, menina!", "cuidado, não vá quebrar a louça", "essa menina vive no mundo da lua, parece que viu o passarinho verde". Até hoje ecoam no ar, vindas do passado, despertando-me de meus devaneios.*
>
> *Desajeitada e sonhadora. Assim era vista na infância. Aos 40 anos, continuo desajeitada. Os sonhos, esses já não são tão intensos, mas recorro a eles nos momentos em que minha vida parece sem sentido. E penso assim quase o tempo todo.*
>
> *Por ter dificuldade em me concentrar e em ser organizada, minhas tarefas escolares foram deveras prejudicadas. À medida que eu crescia e, consequentemente, também meus afazeres e responsabilidades, mais difícil se tornava conciliar tudo. Isso me causava grande vergonha. Sentia-me incapaz e não queria que os outros percebessem. A única saída que encontrei na época foi diminuir minhas ambições.*
>
> *Sonhava em trabalhar na área de turismo para conhecer o mundo todo. Queria também ser dançarina moderna. Achava lindo quando via na televisão ou assistia a um espetáculo de dança.*

Meus planos incluíam ainda um grande amor, um homem bonito, inteligente e apaixonado, que me levaria ao altar... Pura ilusão...

Eu me perdia dentro de minha própria cidade. O que não aconteceria caso me lançasse mundo afora, Deus meu?! E dançar, então? Em um rodopio seria capaz de derrubar todos os bailarinos de uma só vez.

Restou-me o casamento. Tenho duas lindas meninas, uma delas TDA, e já me vejo bastante atrapalhada com os cuidados da casa. Mas, enfim, vou levando. Meu marido está longe de ser um príncipe, mas também não é nenhum sapo!

Agora, imagine essa mesma mente veloz e irrequieta acompanhada de uma boquinha nervosa ou então de todo um corpinho serelepe. Embora não tão numerosas quanto as sonhadoras, também se encontram as meninas com TDA tagarelas e as hiperativas.

As menininhas falantes seriam um tipo intermediário (o tipo combinado) entre as quietas meninas sonhadoras e as incansáveis molequinhas bagunceiras (o tipo predominantemente hiperativo/impulsivo). Conversadeiras, dotadas de uma matraca eficiente, também acabam sendo muito distraídas, uma vez que há tantas coisas ao redor mais interessantes e que atraem irresistivelmente sua atenção já bastante fluida.

Na sala de aula vivem passando bilhetinhos, fofocando com os coleguinhas, desenhando, falando, escrevendo ou fazendo qualquer coisa que não seja propriamente prestar atenção ao que o professor está explicando. Tudo isso ocorre em apenas alguns minutos. Elas bem que tentam, e também sofrem com isso. Mas seus olhos e ouvidos sensíveis não conseguem filtrar estímulos irrelevantes ao contexto e, simplesmente, não podem se furtar a descobrir de onde veio aquele ruído, aquele movimento, e se inteirar do bate-papo dos coleguinhas a seis carteiras de distância.

Simpáticas e contadoras de histórias, as tagarelas provavelmente serão as líderes de seus grupinhos, já que são tão gregárias e elaboram historinhas e brincadeiras criativas. No entanto, sofrem também com a dificuldade de concentração, de começar e levar até o final seus afazeres, e terminam por se sentirem permanentemente sobrecarregadas por tarefas inacabadas, prazos que se aproximam, além de exigências escolares e de comportamento que se fundem como uma bola de neve que tentam girar novamente rumo ao topo da montanha. O resultado é quase sempre uma contínua sensação de esgotamento...

Eis como Analice retratou sua infância. Hoje, aos 29 anos e trabalhando como publicitária, ela descreve alguns dias típicos de sua vida atual:

> *Não me convidem que eu vou! Esta frase parece definir bem minha conturbada vida. A festa vai ser legal, a viagem divertida, o jantar especial... Mas descubro tarde demais que todos esses convites irrecusáveis estão marcados para o mesmo dia. E o pior é que tenho um trabalho inadiável para entregar.*
>
> *Fico além do expediente terminando o trabalho e consigo entregá-lo no último segundo. Sob pressão, meus trabalhos saem ainda mais estupendos!*
>
> *Vou ao jantar e, horas depois, atravesso a cidade em tempo de aproveitar um pouco da festa. A viagem infelizmente fica para a próxima.*
>
> *Fico tão cansada que meu fim de semana acaba na sexta-feira. E, ainda, meus amigos me ligam reclamando da minha falta de atenção. Que sufoco!*

Aquela sensação de esgotamento experimentada pelas meninas e mulheres do tipo tagarela é desconhecida por suas colegas hiperativas. Estas meninas são quase sempre apelidadas com algum termo pejorativo, visando associá-las maldosamente a características masculinas: "Joãozinho", "Maria Machadinha" e "Molequinho" são apenas alguns dos termos com que essas meninas "cinéticas" são rotuladas.

Assim como os meninos, elas são facilmente notadas em meio a um grupo de crianças, na vizinhança, na sala de aula. Bagunceiras, ousadas e frequentemente respondonas, dificilmente irão se divertir com as brincadeiras tipicamente talhadas para as meninas. Brincar de casinha? Só se a casinha estiver pegando fogo e elas forem as heroínas que salvarão as famílias da "flambagem" certa. Ser a mamãe e fazer comidinha certamente as faria bocejar, pois tal tipo de brincadeira não oferece a estimulação atrativa de que necessitam para se manterem concentradas e interessadas. Daí, não é preciso ter muita imaginação para concluir que, provavelmente, elas terão problemas de relacionamento com seus coleguinhas. Elas têm dificuldades em se adaptar à placidez da maioria dos brinquedos femininos e sentem-se, talvez, atraídas pela maior atividade proporcionada pelas traquinagens dos garotos. Mas enfrentam a possibilidade de rejeição ou de não poder acompanhá-los no nível de risco e agressividade de suas brincadeiras. Afinal, elas não deixam de ser meninas.

Valéria, professora de educação física e agora com 33 anos, descreve um pouco esta sua tendência à ação:

> *Quando tinha 15 anos, conheci o César e tive certeza de ter encontrado o companheiro ideal, alguém tão atirado na vida quanto eu. Costumávamos acampar com amigos até que resolvemos que seria melhor viajarmos sozinhos, pois ninguém acompanhava o nosso ritmo. Sentíamos tédio ao ver nossos companheiros enrolados no cobertor, assando churrasquinho, enquanto nós já havíamos percorrido todos os lugares charmosos, cachoeiras perigosas e trilhas íngremes da região.*
>
> *Gostava de voar de asa-delta, mergulhar e praticar alpinismo. Meus pais viviam em estado de alerta, mas tiveram que se acostumar, na medida do possível, ao meu ritmo.*
>
> *Formei-me em educação física, e César em engenharia. Casamos e depois de alguns anos ele foi ficando acomodado e eu continuava cada dia mais agitada. Comecei a me sentir sufocada e, apesar de amar meu marido, não aguentei a rotina e acabamos nos separando.*

Hoje moro em São Paulo, onde tenho uma academia. Estou cursando a faculdade de veterinária, pois pretendo ter um haras. Continuo praticando todos os esportes radicais, que são a paixão da minha vida, e pretendo montar uma escola dedicada a esses esportes. Para quem me acha agitada, respondo: "Para mim, nada nunca é demais." Eu quero viver a minha vida em toda a sua plenitude e, se puder, ainda mais um pouco.

Todo o processo de desenvolvimento das meninas TDAs, em qualquer um de seus três tipos (desatento, hiperativo/impulsivo e combinado), é marcado por questões muito próprias. Ao fato de ser mulher em culturas caracterizadas por papéis um tanto rígidos atribuídos aos sexos, se acrescenta ainda o detalhe de serem TDAs. Mulheres TDAs podem ser muitas coisas, menos convencionais. Tal característica já pode ser percebida na infância, mas é no florescer da adolescência que se reveste de contornos bem nítidos. Período sabidamente complicado, quando atravessado por uma jovem TDA torna-se complicado e meio. Nessa fase aumentam as exigências e tornam-se mais complexas as tarefas de qualquer pessoa. Agora, imagine como essa fase pode ser dolorida para alguém que se vê às voltas com sua atenção inconstante.

No entanto, outras características tornam essa adolescente, não raras vezes, uma figura popular em seu grupo — principalmente aquelas que, quando crianças, faziam o tipo "falante". Dinâmicas e inventivas, dotadas da criatividade peculiar aos TDAs, com seus pensamentos, gestos e dizeres às vezes fora do padrão, essas jovens, quando se tornarem mulheres, provavelmente se encaixarão com perfeição na descrição da música de Guilherme Arantes, "Cheia de Charme", notadamente no trecho em que fala do desejo de se aventurar, de revolucionar.

Suas presenças são marcantes no mundo artístico, no show *business*, e, certamente, são uma boa parte das mulheres que desafiam regras e rompem com tabus, pioneiras no campo da política, do trabalho, das artes e das ciências. A cômoda posição exclusiva de mãe de família e dona de casa, anteriormente reservada às mulheres, certamente não teve o poder de anestesiar essas mentes inquietas e fervilhantes. Elas foram à luta pelo direito de exercer atividades que lhes proporcionassem a estimulação de que tanto necessitavam e, mais do que isso, de abrir as portas do mundo em movimento a todas as mulheres, que antes só podiam contemplá-lo por entre as cortinas da janela.

Não é preciso pensar muito para concluir que, justamente por tais características, essas adolescentes e mulheres, mais do que outras, podem sofrer sob o jugo desaprovador da sociedade patriarcal. Apesar de serem frequentemente verdadeiros dínamos, quase sempre desenvolverão baixa autoestima. Afinal, desde cedo, acostumaram-se a ouvir observações sobre sua falta de modos, sua desorganização, desleixo e falta de "capricho". Críticas que meninos normalmente não costumam ouvir, pois meninos são meninos. Mas meninas têm um papel a cumprir, cujas exigências principais seriam não dar trabalho nem chamar atenção sobre si, ficando quietas e bonitinhas no seu canto. Suas qualidades mais evidentes, tais como criatividade, energia e iniciativa, não são estimuladas e reforçadas, na maioria das vezes. Para isso, a família precisaria ter conhecimento sobre o que é o TDA e como essas meninas podem ser especiais.

Se o problema fosse compreendido, quem sabe tivessem seus talentos inatos descobertos e desenvolvidos e não acabassem tão massacradas com exigências de comportamento impecável que, mesmo sendo úteis e desejáveis em determinados contextos, não fomentam a criatividade nem desenvolvem a capacidade de iniciativa. O fato é que elas chegam à adolescência e idade adulta quase sempre se autorrecriminando a cada passo, cada atitude, pensamento e declaração fora do padrão imposto. Para a maioria dessas mulheres, ninguém está lá para lhes dizer que é esta justamente a sua marca, que dessas características provavelmente emergirão seus talentos e que elas devem buscá-los e desenvolvê-los.

A tendência aos devaneios e os frequentes esquecimentos podem trazer alguns problemas para a mulher TDA, principalmente se ela exercer função burocrática em seu trabalho. No entanto, isso pode ser perfeitamente compensado se forem valorizadas sua inventividade e criatividade. É também importante a busca de ajuda especializada no sentido de maximizar sua capacidade de organização e atenção, tornando sua mente irrequieta mais apta a deixar florescer todas as vantagens que o funcionamento TDA pode proporcionar, principalmente para uma mulher.

A "rainha do lar" em apuros

Uma questão de extrema importância e que muito sofrimento pode causar a uma mulher TDA está relacionada aos seus afazeres de esposa e mãe. Ao mesmo tempo que essa ocupação pode não ser estimulante para uma mulher TDA, também exige uma meticulosidade e ordenação que podem deixá-la exasperada. Acrescente-se a isso tudo o já bastante discutido problema de que provavelmente ela será severamente criticada por causa da sua eficiência incompleta, ou sua aparente falta de interesse em manter o lar organizado. Para uma mulher não TDA, não são nada simples tarefas como contas a pagar, arrumação dos materiais escolares dos filhos, horários, escolha dos alimentos e tantas outras aparentemente prosaicas. Imagine, então, para uma mulher TDA. A questão aqui é: a mulher que exerce as tarefas de dona de casa tem como principal função a organização. Mas um TDA precisa de estrutura. Neste caso singular, a mulher TDA tem que ser a estrutura. Ela deve ordenar a casa em meio à sua desordenada aceleração mental.

Homens, normalmente, podem contar com um sistema de apoio. Na maioria das culturas, eles não precisam se preocupar com questões do tipo: organização do lar, educação e alimentação dos filhos, abastecimento da casa e outras demandas que grande parte considera até como afazeres menores. Mulheres dificilmente contam com um sistema de apoio, por uma simples razão: elas são este sistema de apoio, ou, pelo menos, se espera que sejam. Afinal, normalmente já são criadas para isso. Em suas brincadeiras típicas e nos brinquedos projetados para elas pela indústria de entretenimento, vão sendo familiarizadas aos poucos com a casinha, comidinha, bebês e mamadeiras.

Uma menina TDA muito provavelmente poderá passar bem por essa fase, já que se trata de brincadeiras. Elas podem dormir, estudar ou brincar de outras coisas, abandonando o brinquedo anterior, pois o bebê boneco não irá chorar nem a comidinha irá queimar. Mas também é bastante provável que, a esta altura, já demonstrem um interesse maior por diversões mais estimulantes como videogame, brincadeiras de pique e disputas em jogos competitivos. As bonecas de várias delas podem estar com os cabelos artificiais desgrenhados, e talvez a maior utilidade delas seja servir como alça para o brinquedo, tal como as orelhas do coelho de pelúcia da personagem Mônica dos desenhos em quadrinhos. Uma típica menina TDA.

Agora, imagine essa menina crescida, tendo todas aquelas atribuições e quase sempre sem poder falhar, uma vez que dependem dela a vida e o bem-estar de outras pessoas. Quase sempre com a mente voltada para devaneios mais agitados, ela está atada aos seus afazeres cotidianos e que se repetem *ad nauseam*. Não existem sábados, domingos, feriados ou férias para as funções de mãe e esposa devotada. É uma mente turbinada que precisa se adequar ao desempenho de um motor 1.0, que deve trafegar com segurança. Como a mulher TDA muitas vezes falhará em meio a tantas exigências de meticulosidade, certamente sobrevirão a culpa e o ressentimento. Não só isso, mas também o dedo em riste acusador da família e da sociedade — alguns dos ingredientes da receita da depressão e ansiedade.

Por outro lado, a mãe e esposa TDA pode ser extremamente lúdica, criativa, divertida, amiga e cheia de pique. Seus filhos sabem que ela é incrível, que sua mamãe é "demais". Que não brinca com eles para entretê-los somente, ela está ali brincando mesmo, de corpo e alma nas disputas, e pode sair batendo o pé se perder uma partida de jogo da memória ou Banco Imobiliário.

O marido sabe que nem sempre pode contar com ela na hora e com perfeição, mas também sabe que nunca vai encontrar a mesma mulher todos os dias, que ela é uma companhia divertida para as saídas e aventuras, que seus amigos provavelmente irão gostar muito dela — desta mulher espirituosa. Quando ela não está por perto, o marido sente que o astral já não é o mesmo. Suas frequentes e súbitas mudanças de humor podem desencadear brigas homéricas, mas também podem resultar em momentos inesquecíveis de companheirismo, sexo, diversão e muitas, muitas risadas. É como estar em uma montanha-russa amorosa, com altos e baixos, mas onde jamais deixará de sentir aquele friozinho na barriga e o coração acelerado.

Se esse marido compreende e tenta auxiliar a mulher em suas dificuldades típicas, ao mesmo tempo que valoriza suas qualidades muito próprias, a mulher TDA encontrará nessa união a estabilidade da qual necessita e assim se sentirá feliz. Mas se ele exigir, de forma machista, que ela lhe sirva com perfeição e não se dispuser a ajudá-la e, pior ainda, não quiser entender suas dificuldades ou mesmo valorizar suas qualidades, então é o caos que estará ajudando a construir, não só para a esposa, mas também para si mesmo. A diferença é que ele, quase sempre, não será considerado culpado por isso.

À mulher TDA cabe compreender que não deve se obrigar a cumprir um papel que não é o seu, embora tenha sido estabelecido para ela, assim como para todas as mulheres. Caso ela consiga se libertar de todo o peso e ressentimento que desenvolveu ao longo de anos de recriminações, e também se tornar menos sensível a críticas, então poderá trilhar o seu caminho sem culpas e sem angústias. Um atalho que poderia ter seguido desde cedo, se tivesse a oportunidade de descobrir e desenvolver seus talentos naturais, em vez de se adequar a um limitado padrão, no qual dificilmente deixará de sentir algum, ou muito, desconforto.

Eu vivo sempre no mundo da lua/
Tenho alma de artista/
sou um gênio sonhador/
e romântico.../
(...)
Pegar carona nessa cauda de cometa/
Ver a Via Láctea/
Estrada tão bonita/
Brincar de esconde-esconde/
Numa nebulosa/
Voltar pra casa/
Nosso lindo balão azul...

"Lindo Balão Azul"
(Guilherme Arantes)

CAPÍTULO 3

TDA Infantil: Visão Familiar e Escolar

O BODE EXPIATÓRIO DA FAMÍLIA E A NECESSIDADE DE SE AJUSTAR ÀS REGRAS

Rafael era o primeiro filho de Sandra. Quando estava grávida, ela pensou que não demoraria muito até poder voltar a trabalhar. As amigas retornavam quando os filhos completavam mais ou menos 2 anos de idade, mas Rafael já estava com 7 e ainda consumia as forças de Sandra, como na época em que ele era bebezinho, e ela precisava acordar de madrugada para amamentá-lo, dar-lhe banho, enfim, quando a atenção dela deveria ser totalmente direcionada àquele pequeno ser indefeso.

Só que, agora, era diferente. Não era mais o fato de ser indefeso que demandava tanto a atenção da mãe. Ele não parava. Corria, pulava, chutava e, quando estava sentado, remexia-se incessantemente, parecia não ouvir nada do que sua mãe lhe dizia. O pior para Sandra é que ele se metia vez por outra em atividades perigosas. Ela não sabia dizer se ele realmente gostava de viver perigosamente já assim tão novo ou se não avaliava muito bem as situações em que se metia.

Até o momento em que Rafael entrou para a escola, Sandra achava que o filho tinha esse temperamento difícil por sua incompetência materna e "falta de pulso". Ou que era realmente muito "mole", reclamava muito e se cansava mais facilmente que as outras mães. Já tinha ouvido tantos comentários por parte de parentes, até mesmo do marido, que por fim concordou. Lá no fundo, no entanto, remanescia a certeza de que eles deveriam passar o dia inteiro com Rafael para que soubessem do que ela tanto se queixava.

Na escola, ela pôde avaliar melhor o filho, ao compará-lo com as demais crianças. Estas realmente pareciam mais tranquilas, mesmo as consideradas temperamentais pelas outras pessoas. Não foi preciso muito tempo para que surgissem as primeiras queixas sobre Rafael. Indisciplinado para os professores, mal-educado para as outras mães e evitado pelos coleguinhas. Seus trabalhinhos eram em grande parte malfeitos e incompletos, embora, em alguns momentos, fossem, impressionantemente, os melhores da classe. Seu desempenho era completamente imprevisível.

Na primeira série, Rafael foi transferido para uma escola melhor. Logo após as primeiras confusões, a psicopedagoga do colégio chamou Sandra para uma conversa: seu filho tinha todos os sintomas do transtorno do deficit de atenção com hiperatividade (TDAH) e precisava de acompanhamento médico especializado. "Então, era isso", murmurou Sandra.

Distinguindo a criança TDA

Como já foi visto, o TDA é caracterizado por três principais sintomas: distração, impulsividade e hiperatividade. Uma vez que estas três características são muito comuns na população infantil, como distinguir uma criança TDA de uma "normal"? Afinal, são típicas da infância a agitação, as correrias, a falta de atenção em atividades encadeadas e um tanto prolongadas, principalmente se não tiverem algum atrativo especial.

O sinal que pode diferenciar uma criança TDA de outra que não seja é a intensidade, a frequência e a constância daquelas três principais características. Tudo na criança TDA parece estar "a mais". Ela é mais agitada, mais bagunceira e mais impulsiva, se for do tipo de alta atividade. E, ainda, significativamente mais distraída, dispersa e não perseverante, se for daquele tipo mais desatento. Certamente, o personagem fictício que melhor exemplifica uma criança TDA do tipo desatento é Calvin, das tiras em quadrinhos *Calvin e Haroldo*.

O principal instrumento de um médico, de um psicólogo ou de outro profissional habilitado que queira avaliar a possibilidade de uma criança ser TDA é pura e simplesmente a observação.

Mas, claro, uma observação muito especial. Um observador que deve estar treinado a captar as nuanças, não somente no comportamento manifesto da criança, como também "pescar" nos relatos de pais e/ou cuidadores, professores e de outras pessoas de seu convívio os fatores que caracterizam uma criança com TDA.

Além disso, este profissional deve saber utilizar critérios de comparação. Uma criança pode ser TDA, se aquela tríade de funcionamento for muito mais intensa e frequente quando comparada com crianças de mesma idade. Portanto, devem-se conhecer profundamente o comportamento e as características infantis de uma forma geral, e não somente daquelas crianças que apresentam algum tipo de transtorno. E, sobretudo, este profissional precisa desenvolver a fina sensibilidade de um investigador aliada ao pensamento lógico do cientista.

De forma resumida, seguem algumas dicas que servem de auxílio para dar o primeiro passo rumo ao diagnóstico de TDA em uma criança:

1. Com frequência mexe ou sacode pés e mãos, se remexe no assento, se levanta da carteira. Não consegue manter-se quieta, mesmo em situações em que se espera que o faça. É o tal "bicho-carpinteiro", o "prego na carteira", o "motorzinho nas pernas".

2. É facilmente distraída por estímulos externos. A criança TDA tem a atenção tão dispersa que qualquer estímulo, um barulho, um movimento, a impede de concentrar-se em alguma tarefa por muito tempo. Principalmente se a tarefa for obrigatória e não despertar nenhum interesse especial. É muito difícil para ela fixar a atenção no que o professor diz se pela janela vê pessoas passando ou mesmo ouve sons produzidos por seus coleguinhas. Sua mente é um radar girando o tempo todo em busca de novidades.

3. Tem dificuldade de esperar sua vez em brincadeiras ou em situações de grupo, além de interromper constantemente os coleguinhas com sua tagarelice excessiva. Aqui, ela assume a figura do "furão", "entrão", "abelhudo", o que dificulta o relacionamento com seus pares, e é vista como uma criança encrenqueira pelos supervisores do colégio.

4. Com frequência dispara respostas para perguntas que ainda não foram completadas. A velocidade de sua língua não consegue se equiparar à de seu cérebro, e tão logo algo lhe venha à mente, ela o coloca em palavras, muitas vezes atropeladamente. Isso é uma consequência da impulsividade. A criança TDA não consegue parar ou filtrar o fluxo de ideias que eclode em sua mente. E lá vai ela ser apelidada de "linguaruda" ou algo do gênero.

5. Tem dificuldade em seguir instruções e ordens. A criança TDA não é exatamente rebelde ou insubordinável. Ela apenas faz as coisas do seu jeitinho e insiste nisso. É quase sempre considerada muito teimosa, a "mula empacada" da família e da turma. É praticamente certo que ela irá levar essa característica para a vida adulta.

6. Tem dificuldade em manter a atenção em tarefas ou mesmo atividades lúdicas. Sua atenção é fluida, escorregadia e vaporosa durante atividades prolongadas e em série, de caráter obrigatório ou mesmo em brincadeiras de grupo, que envolvam regras. Para uma criança TDA, isso é tedioso e de fácil dispersão. No entanto, pode subitamente solidificar-se e tornar-se dura como gelo, se determinada atividade for estimulante e atrativa. Um exemplo comum é o videogame. Tais jogos unem estímulos de diversos tipos, de forma sincrônica e simultânea, comumente em grande velocidade. São imagens vivas, coloridas e dinâmicas acompanhadas por sons vibrantes que correspondem às ações empreendidas pela criança no jogo. Muitos pais e/ou cuidadores, ao observarem as crianças entretidas profundamente nesses jogos, sem se lembrar de comer, estudar ou cumprir as tarefas domésticas, concluem que elas são preguiçosas e irresponsáveis. Nada disso! O fato é que as características desses jogos conseguem ativar o cérebro de uma criança TDA de uma forma que as atividades rotineiras não são capazes, pois não possuem as características dinâmicas necessárias. O grande "clique" seria unir atividades educativas com meios multimídia.

7. Frequentemente muda de uma atividade inacabada para outra. Esta característica está intimamente relacionada com a anterior. Mesmo quando estão concentradas em uma tarefa ou projeto, crianças TDAs costumam pensar em "n" coisas diferentes para fazer. E fazem, mas nem sempre as concluem! Da mesma forma que uma ideia que vem à mente dessa criança é imediatamente traduzida em palavras, muitas delas também são imediatamente postas em prática. Novamente o filtro falha e a impulsividade ganha terreno. Como acabam fazendo (e pensando) muitas coisas ao mesmo tempo, deixam passar detalhes e cometem erros bobos, em função da desatenção. A ansiedade acarretada pelo fato de terem muitas coisas a fazer contribui para diminuir mais ainda sua capacidade de concentração. Crianças TDAs precisam de muito incentivo e estruturação para levar a cabo suas tarefas.

8. Tem dificuldade em brincar em silêncio ou tranquilamente. Imagine uma bola voando entre móveis e peças decorativas da sala, objetos sendo derrubados durante uma corrida e muitos gritos. Imaginou? É isso mesmo. Esta assertiva é autoexplicável.

9. Às vezes fala excessivamente. É bastante comum que uma criança TDA dê voltas em torno de um assunto antes de conseguir chegar ao ponto; ou que no meio da fala esqueça o ponto e acabe falando sobre outras coisas. Pode ser vista como "enrolona" por pessoas menos compreensivas. Esta característica está diretamente relacionada ao item 4. Como a criança TDA é assaltada por um fluxo incessante de ideias e imagens, ela tem dificuldade de ser concisa e objetiva ao falar. É comum que um assunto puxe outro, que puxa outro, e no instante seguinte ela já não sabe mais o porquê do seu discurso ou mesmo o que foi dito antes. É importante que pais e/ou cuidadores e professores sejam compreensivos e aprendam a enxergar o lado divertido dessas características, ajudando a criança a se concentrar no assunto em questão sem que ela se sinta inadequada.

10. Vive perdendo itens necessários para tarefas ou atividades escolares. Se a criança é "avoadinha" e frequentemente se esquece de fazer o trabalho de casa ou de levar o lanche para a escola, fique atento! Podem ser sinais de desatenção e lapsos de memória típicos do TDA, e não, necessariamente, irresponsabilidade ou imaturidade.

Crianças problemáticas e crianças com TDA

Como visto, a criança TDA é em tudo mais intensa, quando em comparação com as outras. Ela é mais colorida, mesmo que vestida em discretos tons pastéis, já que dificilmente passa despercebida. Um aspecto distintivo entre crianças TDAs e não TDAs é que os sintomas de comportamento TDA independem de problemas emocionais, ambientais e sociais.

Algumas crianças podem causar a falsa impressão de serem TDAs se estiverem passando por problemas — constantes ou passageiros — que contribuam para deflagrar ou intensificar comportamentos agitados ou falta de concentração. Uma criança pode se apresentar indisciplinada e com baixa tolerância à frustração e possivelmente não ser TDA. Na investigação de sua história podemos constatar que ela é oriunda de um ambiente em que características comportamentais como disciplina e contenção não são valorizadas. Pode também não estar recebendo atenção suficiente ou sofrendo maus-tratos. Todos os fatores que possivelmente estejam contribuindo para algum comportamento inadequado devem ser cuidadosamente investigados e considerados como fatores de exclusão para um diagnóstico de TDA ou mesmo fatores que intensifiquem o TDA preexistente.

É importante ter em mente que fatores que se constituem em situações de desconforto, precariedade e sofrimento podem até intensificar o funcionamento TDA preexistente de uma criança, mas não são responsáveis pela causa do transtorno. O TDA é um funcionamento de origem biológica, marcado pela hereditariedade e que se manifesta na criança ainda bem jovem, antes dos 7 anos de idade, independentemente de ela ser proveniente de um ambiente hostil ou de estar passando por problemas. Mesmo nos lares mais estruturados e seguros, uma criança TDA irá se comportar como tal.

A intensidade do desconforto trazido para a família pode ser manejada através de formas específicas de lidar com essas crianças. A criança TDA pode dar tudo de si e deixar fluir sua criatividade e seu entusiasmo inatos se for corretamente estimulada. Mais do que qualquer outra, a criança TDA responde maravilhosamente bem sob o calor do incentivo. Os elogios e recompensas constantes se constituem no melhor aditivo para a grande quantidade de combustível com a qual elas foram dotadas. Por outro lado, mais do que nenhuma outra, a criança TDA murcha e se retrai sob o peso das críticas excessivas e da falta de compreensão. Ela pode responder através de um cabisbaixo recolhimento ou pela erupção de comportamentos agressivos e impulsivos. Pode virar de pernas para o ar o ambiente, numa clara demonstração de como se sente por dentro: confusa e sem chão.

Dificuldades específicas da criança TDA e conclusões errôneas

É comum que as pessoas interpretem a tendência à distração e a impulsividade de uma criança TDA como sinal de parca inteligência, ou que as considerem simplesmente tolas, com idade mental inferior à de outras crianças de mesma idade cronológica. O porquê disso será examinado a seguir.

Como consequência da hiperatividade/impulsividade, a criança TDA faz primeiro, pensa depois. Reage irrefletidamente à maioria dos estímulos que se apresentam. Não porque seja mal-educada, imatura ou pouco dotada intelectualmente. Isso se deve ao fato de a área cerebral responsável pelo controle dos impulsos e filtragem de estímulos (o córtex pré-frontal) na criança TDA não ser muito eficiente. Existe um substrato orgânico determinando essa característica.

Ao contrário de uma criança simplesmente mal-educada, a criança TDA sabe que seu comportamento acarreta prejuízos e reprimendas. O insight do problema aumenta no decorrer do seu desenvolvimento, e ela pode ser ensinada sobre o que é certo e errado, e, sem dúvida, aprenderá (se estiver suficientemente atenta, é claro!). A criança TDA consegue entrever as consequências de seu comportamento impulsivo, mas, por ter dificuldade em contê-lo, absorve todas as críticas que desabam incessantemente sobre ela. Por ser muito nova para refletir sobre questões tão complexas sobre a convivência social e outras em que o controle dos impulsos seja necessário e desejável, ela se sente totalmente deslocada, inadequada e, de alguma forma, defeituosa. Ela sofre!

Esse comportamento diferenciado não tem nenhuma relação com deficit intelectual. Na verdade, com extrema frequência, a criança TDA é bastante inteligente e criativa. Pode aparentar imaturidade, em comparação a outras crianças de mesma idade, no aspecto emocional e no comportamento manifesto, mas não em relação à capacidade cognitiva. Com o tratamento adequado, aquela criança aparentemente imatura equipara-se às demais.

No que concerne às características de desatenção, esta criança também pode ser considerada tola ou pouco inteligente por quem desconhece o problema. O fato é que a criança TDA é constantemente inundada com estímulos que não consegue filtrar de maneira correta. A consequência mais evidente é que ela parece não conseguir priorizar os seus afazeres, característica que, aliás, é levada adiante na vida adulta. É um tanto comum que tenha dificuldades em aprender ou memorizar, não porque não queira, ou porque seja pouco capaz, mas sim porque não consegue sustentar a atenção e se manter concentrada por tempo suficiente e com a intensidade adequada.

Frequentemente não termina as tarefas que começa, porque algum estímulo a atrai irresistivelmente, até aparecer o próximo que a faça abandonar o anterior, e assim sucessivamente. Por fim, ela se sente sobrecarregada, confusa e não termina o que começou a fazer lá no início. Não que seja exatamente "esquecidinha" ou "cabeça de vento", mas o turbilhão de acontecimentos e coisas por fazer em sua mente acaba lhe trazendo problemas em reter informações e dar cabo de suas tarefas. Por exemplo, é muito comum que a criança TDA, assim como o adulto, passe por situações como esta: ela está na sala fazendo algo, dá-se conta de que precisa de alguma coisa que está no quarto e, no caminho de um cômodo para outro, se esquece do que ia fazer. Ainda por cima, pode ver alguma coisa neste ínterim e também se esquecer de continuar o que estava fazendo na sala. O que aconteceu no trajeto entre a sala e o quarto? Ela estava "caraminholando", pensando em várias coisas ao mesmo tempo, na alta velocidade do cérebro TDA. Por que esqueceu o que estava fazendo na sala? Porque não conseguiu filtrar o novo estímulo que se apresentou. Foi atraída para ele, em vez de concluir a primeira tarefa. E assim repetidamente, até não conseguir terminar nada do que começou nem reter informações por tempo suficiente. Ao contrário de uma pessoa com dificuldades intelectivas, ela se dá conta do prejuízo que isso acarreta, percebe o que está acontecendo de errado e sofre. Em uma criança, esses prejuízos podem ser percebidos mais de forma intuitiva do que racional.

Por desconhecimento, as crianças TDAs, na maioria dos casos, recebem diariamente os mais variados rótulos e adjetivos pejorativos possíveis, dos quais não sabem como podem se defender. Acreditam em tudo o que dizem, o que ocasiona um enorme buraco em sua autoestima, e sucumbem ao olhar desaprovador da repreensão ou ao ar complacente do sentimento de pena.

Em família

Em família, pode-se observar claramente o desenrolar desse processo. A criança TDA (sobretudo a hiperativa/impulsiva) em geral é punida com castigos físicos, e não são poucos os comentários que se fazem do seu caráter. Ela costuma ouvir sobre o quanto é má e que "papai do céu" irá castigá-la. Até mesmo que no futuro será uma pessoa desagradável, impopular e outros comentários do tipo "se você morrer hoje, ninguém irá ao seu enterro". Como realmente tem dificuldades de controlar seus impulsos e se mete em confusões e desentendimentos em família e com outras crianças, acaba acreditando no que lhe dizem. Preocupa-se com castigos divinos e se irá para o inferno. Esse protótipo de "pestinha" ouve diariamente uma avalanche de "nãos", "para", "sai daqui", "fica quieto", muito mais do que qualquer outra criança. Não é difícil chegar à conclusão de que essa criança sentirá que existe algo muito errado e que ela não passa de um estorvo. Muito mais que a média, crianças TDAs, principalmente as mais hiperativas, expressam seu sofrimento e sentimento de rejeição ora dizendo que irão fugir de casa, ora que são "infelizes" e querem se matar.

Como se não bastasse, ela também pode ocupar o lugar de bode expiatório da família, principalmente entre os irmãos. Embora todos reclamem dos aborrecimentos que ela costuma trazer para o meio familiar e do quanto seria melhor se ela não existisse, crises inexplicáveis poderão surgir entre os membros da família se a criança TDA for tratada adequadamente e os resultados positivos começarem a surgir. Paradoxalmente, o tratamento pode até ser boicotado, se a sua melhora ameaçar o sistema familiar, que encontrou seu ponto de equilíbrio nessa criança problemática. Um exemplo claro é o fato de os irmãos se acostumarem à cômoda posição de filhos "normais" e, engenhosamente, colocarem a criança TDA na posição de culpada e causadora de todas as brigas. Até mesmo quando ela não tiver nada a ver com a história, sempre existirá um dedo acusador, colocando-a na posição de ré. E, como é comum ela causar confusões mesmo, os pais e/ou cuidadores tenderão a culpá-la, sem se preocupar com uma investigação mais detalhada dos conflitos.

Por outro lado, também não parece justo acusar impiedosamente os pais e/ou cuidadores e a família por tudo. Imagine o transtorno causado por uma criança que literalmente "quica" pelas paredes, parece ser incansável, bate bola na sala em meio a todos os móveis e objetos, ou, então, que vive literalmente no mundo da lua. Situações como essas detonam verdadeiras batalhas dentro de casa: o pai briga com a mãe, o irmão com o pai, a mãe com a avó e todos com a criança! Alguns membros da família são acusados de serem severos demais, e outros, de complacentes. E, ao final, ninguém entende nada quando percebem que a mesma criança, que não se concentra nos deveres escolares, consegue passar horas a fio grudada no videogame. Ora, para quem não compreende as características do TDA, a conclusão aparentemente óbvia é que ela não "quer nada com a hora do Brasil".

É importante buscar informações sobre o comportamento inadequado da criança antes de se concluir que ela apresenta "caráter duvidoso" ou que simplesmente é grosseira. Quanto mais informações e educação acerca do transtorno, melhor para a criança e a família. No decorrer do tratamento, os familiares recebem orientações sobre como proceder em situações específicas.

Escola e amizades

Enquanto a criança TDA convive apenas em seu meio familiar, muitas de suas características repousam em estado de latência. Demonstrações de que ela é algo diferente já foram dadas para a família, mas é no início da vida escolar que essas diferenças podem revelar sua potencialidade problemática. Até então, a criança contava com a estrutura familiar para se organizar, e muitas de suas características hiperativas e/ou desatentas poderiam não estar acarretando problemas mais sérios.

Dificuldades maiores começam a surgir no âmbito escolar quando a criança é solicitada a cumprir metas e seguir rotinas, executar tarefas e é recompensada ou punida de acordo com a eficiência com que são cumpridas. Os pais e/ou cuidadores e familiares já não estão presentes e não podem facilitar as coisas para a criança. Ela precisa começar a caminhar com suas próprias perninhas. Perninhas que até este momento cumpriam mais as funções de correr, pular, chutar ou mesmo permanecer em repouso, enquanto sua mente divagava. Agora não podem correr a qualquer momento, como também não podem ficar imóveis. Devem caminhar em direções determinadas, em tempos estabelecidos e em ritmo compatível com as demais crianças com quem irão conviver quase que diariamente. As direções, tempos e ritmos serão definidos pelo professor da turma, que é orientado por objetivos até então diferentes daqueles de seus pais e/ou cuidadores, mas cujos propósitos agora interessam sobremaneira a estes.

A criança TDA, com ou sem hiperatividade, agora precisa ajustar-se às regras e à estrutura de uma educação continuada, em que há cobrança de desempenho. Muitas vezes, experimentará dificuldades em adequar-se a rotinas tão esquematizadas. O professor que desconhece o problema pode acabar concluindo que essa criança é irresponsável ou rebelde, pois em um dia pode estar produtiva e participante, mas no dia seguinte simplesmente não prestar atenção a nada e não levar a cabo os deveres. Acaba por atrair bastante atenção do professor, mas uma atenção um tanto negativa. Isso pode causar desacertos em sala de aula, já que as outras crianças perceberão o "clima" e poderão se interessar mais no embate entre professor e aluno "problemático" do que em suas tarefas.

O desempenho escolar da criança com TDA é marcado pela instabilidade. Um exame nos boletins escolares ou nos registros dos professores pode ilustrar bem o problema. Em um momento, ela é brilhante. Em outro, inexplicavelmente, não consegue apreender os conteúdos ministrados. Tais momentos tão díspares, muitas vezes, são bastante próximos no tempo. Não é incomum que se alternem de um dia para outro. A instabilidade de atenção é a causa desse sobe e desce no desempenho. Caso a criança seja também hiperativa, o problema pode agravar-se, pois, além da desatenção, a incapacidade de se manter quieta em sua carteira a impedirá não só de aprender, como também de conquistar e manter amizades.

A impulsividade dessa criança pode levá-la a falhas no desempenho desejável para a delicada tarefa de interagir socialmente. Em alguns momentos, pode atropelar a atividade do grupinho com interrupções ou gestos bruscos, querer dominar as brincadeiras e impor regras, e insistir indelicadamente na continuidade da brincadeira, sem se dar conta de que os coleguinhas já estão cansados. Em outros momentos, pode parecer estranha, quando enjoa rapidamente das brincadeiras e abandona um timinho já formado para fazer outras coisas, depois de ter insistido tanto para entrar. Ou, então, quando fala demais, às vezes sem pensar, ofende alguém ou deixa escapar algum segredo do coleguinha.

Não se sabe ao certo se a impulsividade é responsável pelas falhas em habilidades sociais ou se esse deficit é característico do próprio TDA, independentemente da impulsividade. O fato é que as crianças (e adultos) TDAs parecem não ler corretamente os sinais sociais emitidos pelas outras pessoas. Elas podem continuar alongando-se em um assunto desgastante, sem ter a menor noção do constrangimento por que estão passando. Podem parecer grosseiras ou mal-educadas, mas a verdade é que lhes falta o "estalo" para perceberem os sinais das outras pessoas. Quando são advertidas, logo se dão conta do "furo", sentem-se inadequadas e lá se vai sua autoestima ladeira abaixo.

A desatenção também pode trazer problemas de ordem social. Imagine uma menininha contando sobre o seu passeio de final de semana para a coleguinha que parece não estar nem aí e ainda "atravessa o samba" com um assunto que não tem nada a ver. Ou, então, fazer um trabalhinho em dupla e cometer erros bobos, porque, aparentemente, não foi cuidadosa.

Por outro lado, em muitos momentos, nada será mais emocionante do que estar brincando com essa menininha TDA. Afinal, com ela "não tem tempo ruim". Mesmo em um local entediante e na ausência de brinquedos, dá um jeito de inventar várias brincadeiras. De dentro daquela "cacholinha" surgirão as mais diferentes ideias, sugestões e as historinhas mais doidas possíveis.

Essa inventividade também se manifesta na forma de resolução de problemas escolares. Uma criança TDA muitas vezes consegue resolver uma continha de matemática de uma forma completamente diferente, por exemplo. Dê o resultado esperado ou não, a criança certamente será repreendida por não fazer os deveres na forma padrão. E, como prefere fazer as coisas a seu modo, pode ser considerada pelo professor pouco inteligente ou teimosa, ou mesmo desobediente. Embora seja necessário que se aprenda a fazer as tarefas da maneira como estão consolidadas, a criatividade da criança TDA pode ser estimulada em vários campos. Ela deve ser incentivada a aprender da forma consensual, mas também não precisa ser desestimulada a nunca mais tentar formas diferentes de resolver os mesmos problemas.

O que os pais e/ou cuidadores podem fazer?

Existem meios de melhorar a convivência e estimular bons comportamentos nas crianças TDAs, especialmente se elas forem do tipo mais hiperativo/impulsivo. As dicas a seguir são fruto de pesquisas do psicólogo Sam Goldstein e do neurologista

Michael Goldstein, ambos especializados em crianças hiperativas e desatentas.

O passo inicial para todos os pais e/ou cuidadores é o conhecimento. Quanto mais eles estudarem, se informarem e se educarem sobre o problema de seus filhos, mais estarão preparados para lidar com eles de forma apropriada. Afinal, conhecer profundamente o problema capacitará os pais e/ou cuidadores a enxergarem o mundo através dos olhos dessas crianças. Conhecer como elas se comportam, por que e quando, saber principalmente o que frequentemente deflagra comportamentos indesejáveis e ter em mente que muitas vezes elas não têm a intenção ou consciência de que estão sendo inconvenientes, possibilitarão aos pais e/ou cuidadores agirem de forma preventiva e também controlarem seus próprios acessos de raiva em relação às mesmas (o que é bastante comum). É importante que os pais também se autoavaliem e identifiquem, em si mesmos, características de impulsividade e desatenção (lembre-se, o TDA possui forte componente genético), que podem atrapalhar a convivência e causar falhas no processo de educação das crianças. A sabedoria popular tem algo a nos dizer sobre isto: dois bicudos não se beijam (ou três, quatro, cinco...).

O passo seguinte é consequência do primeiro: saber diferenciar desobediência e inabilidade. Uma vez que os pais e/ou cuidadores conheçam suficientemente bem o problema, eles estarão aptos a distinguir quando a criança está sendo desobediente e rebelde ou quando, simplesmente, não está conseguindo controlar seus impulsos e fazer o que eles ou outras pessoas responsáveis estão pedindo.

Na primeira situação, os pais e/ou cuidadores podem apontar as consequências desagradáveis que virão caso a criança não faça o que se pede. Somente em casos extremos deve-se lançar mão de castigos, mas jamais "apelar" para punições físicas. Um exemplo é o menino que não quer fazer o dever de casa. Se a mãe se portar de certa forma indiferente e disser: "muito bem, mas aí você é que vai explicar para a professora, certo?", o problema deixa de ser da mãe e passa a ser da criança. Certamente, ela pensará duas vezes antes de realmente deixar o dever de lado. E, em caso de não fazer o dever, receberá alguma reprimenda em sala de aula. Mas, se essa criança não faz o dever porque simplesmente não consegue permanecer sentada ou prestar atenção, precisará ser auxiliada a desenvolver essas habilidades e ser recompensada a cada pequeno passo alcançando.

A criança TDA constantemente recebe punições e verbalizações negativas por atos que ainda não aprendeu a controlar, sem muitas vezes ter a intenção de ser desobediente ou opositora. Obviamente, essa criança aprenderá a enxergar o mundo como um lugar punitivo, restritivo e controlador. Daí, sim, poderá desenvolver comportamentos rebeldes e desobedientes em reação a um ambiente hostil. Ela ouve centenas de vezes frases como "deixa disso", "pare com isso", "não faça isso", "tire a mão daí", "não mexa nisso", "saia daqui". Recebe, diariamente, castigos e sermões por algo que fez de errado, mas não sabe o porquê disso e tampouco o que deveria estar fazendo em seu lugar. Assim, é extremamente importante que os pais e/ou cuidadores aprendam a dar ordens positivas, o que será visto um pouquinho mais adiante.

Punir uma criança por um ato impulsivo, provavelmente, irá surtir efeito por algum tempo. Mas, certamente, devido à natureza impulsiva do ato, em breve ela voltará a incorrer no mesmo erro. Assim, estará deflagrada a desagradável situação familiar em que os pais e/ou cuidadores se tornam repreensivos, e a criança, temerosa ou mal-humorada.

Para saber diferenciar quando seu filho está sendo desobediente ou quando, simplesmente, não está conseguindo obedecer de forma adequada, é preciso observar com atenção o seu comportamento. Por exemplo, se ele costuma deixar a porta do armário aberta e, ao ser advertido, volta para fechá-la, demonstra que está se esforçando para obedecer. É bem possível que, em outras ocasões, o armário continue aberto por conta de sua distração, mas ele tentará atender ao seu pedido, mesmo que vá resmungando e de má vontade. Por outro lado, se você se certificar de que ele está atento, ouvindo e compreendendo e, mesmo assim, não responde a sua solicitação, esteja certo de que foi por desobediência.

O próximo passo é saber dar ordens positivas. Isso requer um pouco de tempo e prática até que se acostume. Em geral, no ambiente doméstico, as situações desagradáveis chamam mais atenção do que os fatos agradáveis. Se o seu filho faz algo errado, isto imediatamente salta aos olhos, ao passo que, quando está se comportando de modo adequado, é adotada uma postura indiferente. Pressupõe-se, erroneamente, que um bom comportamento é a coisa certa e natural a fazer, obrigatório e devido; portanto, não há necessidade de incentivo nem reforço especial. Assim, uma criança TDA, quando erra em suas atitudes, é constantemente repreendida; por outro lado, quando acerta, não recebe elogio algum. Daí, você pode imaginar a confusão que começa a se avolumar nessa pequena mente: "Tudo que faço é errado, mas o que será o certo?"

Essa cabecinha poderia começar a ser desanuviada se os pais e/ou cuidadores invertessem o procedimento-padrão: ignorar os comportamentos indesejados (punir é eficaz, quando for adequado e coerente) e destacar o comportamento desejado.

Se, por exemplo, seu filho está num entra e sai de casa, justo no momento em que o quintal está sendo lavado, e deixa um rastro molhado sempre que irrompe porta adentro, a reação mais provável será ralhar com ele, ordenando que pare de molhar a casa ou que pare de correr. Observe que foi dada uma ordem negativa. É bem provável que a criança TDA obedeça por um tempo, até que se distraia e sua impulsividade dê novamente partida para outros entra e sai. Novamente ela é repreendida, e assim sucessivamente, até criar um clima desagradável.

Como ordem positiva, poderia instruí-la — de uma forma serena e não ameaçadora — sobre secar os pés em um pano antes de entrar, ou escolher brincar somente do lado de fora ou apenas do lado de dentro. Uma vez que se estabeleça o que se espera da criança, em forma de instrução positiva, é extremamente importante que ela seja recompensada imediatamente após fazer o que se quer. Essa recompensa pode ser social (elogios, beijos, dizer quanto ela o deixa feliz) ou não social (como balas, bombons ou mesmo um sistema de pontos que, acumulados, valerão alguma coisa importante para a criança). A recompensa mais positiva para a autoestima da criança é a de cunho social. No entanto, quando se está tentando modificar algum comportamento inconveniente, é importante que no início do processo as recompensas sejam não sociais, por causa de seu caráter concreto e imediato. Ou, melhor ainda, que venham acompanhadas por recompensas sociais. O ponto nevrálgico aqui, e que não pode ser esquecido, é que a criança deve ser imediatamente recompensada, logo após comportar-se adequadamente. Se isso não acontecer, a criança não conseguirá distinguir o que deve e o que não deve fazer. Apenas temerá pelo que entende que desagrada aos pais e/ou cuidadores.

Outro aspecto imprescindível é que a criança também deve ser recompensada a cada avanço que fizer. Se, no exemplo citado anteriormente, ela entrar em disparada molhando a cozinha e parar antes de chegar à sala, os responsáveis devem premiá-la por já ter dado um primeiro passo: "Estou muito contente que você dessa vez tenha parado pela cozinha, espere aqui que vou pegar um biscoito pra você." E assim sucessivamente. Não espere que a criança consiga, de uma só vez, comportar-se perfeitamente, se suas características de desatenção e impulsividade estiverem atrapalhando. Não se pode exigir de uma criança que, em um único salto, chegue ao topo da escada. Ela poderá sentir-se incapaz, assoberbada e, pior, passar a ser propositadamente desobediente para lutar contra exigências que no momento lhe parecem difíceis ou impossíveis. O importante aqui é festejar com ela cada degrau que for conseguindo subir, estimulando-a a ir adiante.

Jamais se deve esquecer de que, para a criança TDA, elogios, incentivos e demonstrações de amor são o aditivo mais eficaz para a grande quantidade de combustível que ela tem, mas que era queimado inadequadamente ou subutilizado, seja pelas características específicas do comportamento TDA, seja pela grande quantidade de repreensões que ela ouve. Crianças TDAs não conseguem protelar por muito tempo a satisfação de seus desejos, por isso o sistema de recompensas somente será positivo se for imediatamente fornecido após o bom comportamento. Com o tempo e a repetição, a criança começará a internalizar os comportamentos adequados e não precisará ser recompensada sempre e imediatamente. Mas lembre-se de que, no começo, não adianta dizer que ela terá uma recompensa daqui a uma semana. Para um pequeno TDA, uma semana é muito tempo!

O último passo é a continuidade dos anteriores, e seu objetivo principal é sempre promover o sucesso da criança. Hábitos arraigados são difíceis de mudar, mas não impossíveis. Trata-se de abandonar o padrão antigo de valorizar mais as atitudes negativas da criança (ela percebe perfeitamente que chama mais atenção quando faz algo errado) e mudar para um padrão de sempre incentivar, reforçar e promover o sucesso dela. Dê mais atenção aos bons momentos. Não deixe passar a oportunidade de recompensar imediatamente sua criança, quando ela estiver se comportando adequadamente; aliás, recompense-a sempre pelos pequenos passos que conseguir dar em direção ao objetivo. Acostume-a a querer o sucesso, a perseguir o bom resultado. Mostre sempre o quanto você a ama e o quanto fica feliz diante de cada pequena coisa que ela consegue fazer. Ela se esforçará por agradar aos pais e/ou cuidadores, e aos poucos irá recuperando sua autoconfiança ou construindo a que nunca teve.

Por que se deve tentar ignorar os maus momentos e valorizar os bons? O fato é que, quando se faz o contrário, pode-se, acidentalmente, incentivar as crianças a se comportarem mal, embora a intenção não seja esta. Às vezes, ensina-se os filhos a perpetuarem aspectos desagradáveis, o que nem sempre é percebido pelos pais. Por exemplo, se uma criança está aos berros e se jogando para trás porque quer um bombom, e sua mãe, compreensivelmente exasperada, lhe faz as vontades para que pare de importuná-la, estará, sem querer, ensinando esta criança a fazer birras outras vezes, pois, agindo assim, a criança conseguiu o que queria. O certo aqui é esforçar-se por ignorar o show da criança, de forma tranquilamente indiferente, mas firme, até que ela perceba que nada irá conseguir. Quando parar com a birra, recompensá-la por estar quieta e então dar-lhe o bombom, dizendo que da próxima vez ela poderá conseguir o que quiser se souber pedir educadamente e esperar com paciência. E lembre-se: parabenize-a pelo sucesso sempre que conseguir dar pequenos passos em controlar seus acessos de impulsividade.

Você também pode tentar modificar o ambiente de forma preventiva para evitar alguns acontecimentos desagradáveis, tais como manter trancada a porta do armário que seu filho gosta de "futucar" para pegar coisas que não deveria. Caso a porta esteja aberta e a criança esteja mexendo, então você precisará agir de forma reativa. Dê uma instrução positiva, "esta porta tem que ficar fechada por tal e tal motivo", e recompense a criança quando se afastar dali. Lembre-se sempre: a repreensão é necessária em caso de desobediência, quando a criança sabe que não deveria estar fazendo aquilo. Não deve ser banalizada. Reprimendas e palmadas constantes e por qualquer motivo perdem seu efeito e fazem com que a criança passe a considerar que é você que está errado e é rabugento, não aceitando mais sua própria parcela de responsabilidade.

Estimule também a prática positiva. Se seu filho tem o "rabo comprido" e deixa a porta aberta atrás de si, em vez de dar a instrução negativa, "não deixe a porta aberta", diga a ele por que é necessário que a porta seja fechada, pegue-o pela mão e peça que repita a ação, acompanhe-o e estimule-o a fechar a porta. Repita a operação algumas vezes, de forma tranquila e evitando ralhar. Se repetir consistentemente esse comportamento, sempre que a criança se esquecer de fechar a porta, após algum tempo ela irá internalizar esse ato e irá fazê-lo naturalmente. É necessário ser paciente e esperar o tempo da criança. Algumas aprendem mais rapidamente, outras demoram mais. Seja sempre coerente e constante. Diga sempre o porquê de a criança estar agindo errado e diga-lhe o que e como fazer, em vez de dizer somente o que não fazer. Aja sempre da mesma forma, não desista ou perca a paciência. E, claro, isto você já sabe: recompense-a a cada pequeno passo! Promova o sucesso de seu pequeno TDA.

Quando for necessário o castigo, pela evidente desobediência, também seja coerente e constante: se disser que irá castigá-lo, realmente o faça. Dizer e não fazer será interpretado pela criança como sinal de que nada acontecerá. E faça o que realmente disse que faria. Por exemplo, uma semana de castigo deve durar uma semana. Se encurtar o período porque a criança está fazendo birra, cara de choro ou sendo propositadamente um "anjinho", ela entenderá que é capaz de controlá-lo e manipulá-lo, em vez de aprender que há consequências desagradáveis para seu inadequado comportamento. Após cada repreensão, dê a chance à sua criança de novamente repetir aquele comportamento até acertar. Ela precisa saber por que está sendo repreendida e o que é correto fazer.

Mostre a ela que novas chances de acertar serão sempre dadas de bom grado e incentive-a a aproveitá-las sempre!

O que os professores podem fazer?

O transtorno do deficit de atenção é um dos problemas comportamentais mais comuns da infância, responsável por dificuldades de aprendizagem, repetências e evasão escolar. Estudos epidemiológicos indicam que aproximadamente 3% a 7% das crianças norte-americanas podem ser TDAs (DuPaul e Storner, 2007), estimando-se que em cada sala de aula exista, pelo menos, um aluno com o transtorno, com ou sem hiperatividade. Por tudo que já foi exposto, não é difícil imaginar a árdua missão dos responsáveis pelo ensino: fazer com que tais crianças assimilem o conteúdo didático, sem que a classe se transforme num verdadeiro campo de batalhas.

Para melhorar a qualidade de vida de uma criança TDA e garantir um aproveitamento escolar satisfatório, o colégio e a família precisam estar em fina sintonia. Tanto os pais quanto os professores, orientadores educacionais e os profissionais da saúde que acompanham a criança devem manter um contato estreito. Além do tratamento médico e/ou psicológico, é fundamental que a criança com TDA se sinta em um ambiente adequado e receptivo, aberto às diferenças e às variações no ritmo de aprendizagem. Assim, elaboramos algumas dicas, que acreditamos possam contribuir no gerenciamento do TDA em sala de aula:

1. Professores devem ter conhecimento sobre o assunto, jogo de cintura e flexibilidade para ajudar o aluno TDA. A informação é o passo mais importante para entender como funciona a cabeça destas crianças.

2. É óbvio que não cabe ao professor diagnosticar o TDA, mas, caso perceba sintomas característicos em algum aluno, oriente a família a procurar ajuda. Quanto antes o tratamento médico e/ou psicoterápico for iniciado, menos dificuldades ele terá em sua vida escolar, que se refletirão na vida adulta.

3. Professores não são de ferro! Faça uma aliança com os pais, com encontros regulares. Isso evita que eles sejam chamados para reuniões somente em momentos de crise. O trabalho é sempre em equipe. TIME!!!

4. Mantenha contato com outros profissionais da escola e com médicos e/ou psicólogos que cuidam dessas crianças. Convide-os a visitar a escola para orientá-los no trato com seus pacientes TDAs. Assim, o trabalho feito na escola complementará o que é realizado no consultório.

5. Ter uma dose extra de paciência é fundamental. Isso não significa ser permissivo e tolerante em excesso. Mantenha a disciplina em sala e exija que os limites sejam obedecidos. Sem exageros!

6. Aqui também vale aquela clássica regrinha da pedagogia: sempre elogie o aluno quando ele conseguir se comportar bem ou realizar uma tarefa difícil. É melhor do que puni-lo seguidas vezes sempre que ele sair dos trilhos. Nestes casos, estimule-o a compensar os erros que cometeu. Se ele desorganizou uma estante, por exemplo, incentive-o a organizá-la. Isso terá um triplo efeito: mostrar ao aluno qual é o comportamento correto, fazê-lo se sentir útil e, consequentemente, diminuir sua frustração com o erro.

7. O aluno TDA deve se sentar perto do professor e de um colega afetivo e positivo. Longe da passagem de pessoas, janelas, amigos tagarelas e de coisas que possam distraí-lo. TDAs se interessam por muitas coisas ao mesmo tempo e são sempre xeretas!

8. A criança com TDA tem dificuldade de organizar suas próprias regras e de controlar seu comportamento. Por isso, é fundamental que, na rotina das aulas, o professor deixe as regras bem claras, explícitas e visíveis. A criança precisa saber com clareza o que é esperado dela e como ela deve se comportar.

9. Estabeleça contato com o olhar. Olhando nos olhos da criança TDA, o professor pode "despertá-la" dos seus devaneios e trazê-la de volta às explicações. Isso vale para as broncas também.

10. Experimente, às vezes, falar baixinho, quase em sussurros. O aluno "ouve" melhor do que se você gritar!

11. Ao se dirigir a ele, seja assertivo na sua colocação, firme, mas de forma gentil e afetuosa.

12. As orientações devem ser curtas e claras. Simplifique o vocabulário para que o aluno TDA entenda melhor.

13. Divida tarefas complexas em várias orientações simples. A criança TDA pode se sentir sobrecarregada com tarefas muito longas e ter a sensação de que não vai conseguir chegar até o final. A tendência é desanimar e, mais uma vez, se frustrar.

14. Procure esperar um pouco pela resposta do seu aluno. Ele pode ainda estar "maquinando" o que vai dizer.

15. Certifique-se de que ele compreendeu o que você pediu. Repita as ordens sempre que for necessário, de forma clara e tranquila.

16. Ensine a criança a usar sua agenda. Isso trará mais organização e estrutura externa para desenvolver as tarefas solicitadas.

17. Estabeleça metas individuais, troque ideias e pergunte ao aluno TDA o que pode ajudá-lo. Ele se sentirá acolhido, valorizado e lhe dará informações preciosas.

18. Alterne métodos de ensino, evite aulas repetitivas e monótonas. Aulas mais prazerosas, com doses de emoção e criatividade, despertam o interesse da criança TDA, facilitando o aprendizado. Na medida do possível, deixe o aluno ser seu ajudante.

19. Pense na possibilidade de a criança sair por alguns instantes da sala. Isso diminui a sua inquietação e dispersão. É melhor perder alguns "pedaços" da aula do que a aula inteira.

20. Considere a possibilidade de se utilizar notebooks, *palm tops* e outros acessórios. Muitas crianças TDAs têm dificuldades com a escrita, mas dominam bem as engenhocas eletrônicas.

Sabemos que não existe uma solução simples ou mágica no trato com alunos TDAs e que tudo requer tempo, dedicação e persistência. Mas, sem sombra de dúvidas, o empenho dos pais e dos implicados no bem-estar dos baixinhos depende, e muito, do “banco escolar”. Esses fatores, em conjunto, vão determinar o futuro dessas crianças e carimbar o passaporte rumo a uma vida menos caótica e mais feliz.

Paixão cruel, desenfreada/
Te trago mil rosas roubadas/
Pra desculpar minhas mentiras/
minhas mancadas

"Exagerado"
(Cazuza, Ezequiel Neves e Leoni)

CAPÍTULO 4

TDA e Vida Afetiva

OS ÚLTIMOS ROMÂNTICOS: EMOÇÃO EM EXCESSO E ESCASSEZ DE RAZÃO...

Como dizia o poeta Carlos Drummond de Andrade: "Amar se aprende amando." E é exatamente isso que se deve aprender ao amar ou ser amado por alguém com TDA.

É verdade que tal citação vale para qualquer tipo de relação amorosa; no entanto, amar uma pessoa com comportamento TDA pode exigir maestria e grande habilidade na arte de amar, uma vez que as relações amorosas, nestes casos, costumam ter a mesma intensidade dos *loopings* das montanhas-russas. A imagem figurativa é exatamente esta, pois tudo pode acontecer nessas relações num espaço de tempo tão curto que os amantes chegam ao ponto de duvidar da realidade dos fatos. Amar um TDA pode significar ter sua vida virada de ponta-cabeça em poucos minutos.

A forma de amar também é influenciada pela tríade de sintomas que caracteriza o TDA (desatenção, impulsividade e hiperatividade), que varia de intensidade de uma hora para outra. Mas uma coisa é certa: em todos os casos sobra emoção e quase sempre falta razão. Nessas mentes inquietas parece que não existe qualquer espaço que seja para abrigar a velha e cansada amiga RAZÃO.

Um TDA com hiperatividade física e impulsividade assemelha-se a um grande "tornado" apaixonado. É capaz de conhecer alguém, se apaixonar perdidamente, casar, brigar, odiar, separar, divorciar e tornar a se casar. Tudo em menos de um mês. Exagero? É, talvez estas pessoas sejam os "últimos românticos dos litorais" (Lulu Santos) ou ainda os exagerados que se jogam a seus pés com mil rosas roubadas (*à la* Cazuza). Eles tendem a sentir todas as emoções de modo muito mais intenso do que a maioria sequer pode imaginar. Quando se apaixonam, estão realmente apaixonados, toda sua atenção volta-se para esse sentimento sem que possam controlar tal impulso. Ficam literalmente cegos de paixão. Esse estado de "cegueira" é descrito por Fábio, comerciante de automóveis, 35 anos:

> *...como um estado de estresse permanente. Muita gente fica estressada com seus problemas de trabalho, responsabilidades, contas a pagar, essas coisas... mas referem-se ao amor como o porto seguro onde recarregam as baterias. Pra mim sempre foi muito diferente. Eu me estresso com tudo isso que citei e também com meus relacionamentos amorosos! Não consigo controlar o impulso, a necessidade mesmo, de me fundir com a mulher que amo. E se ela não entende isso, e geralmente não entende, o problema é grande. Eu não recarrego as baterias com a mulher que amo... Quando estou com ela, minhas baterias entram em curto e soltam faíscas... Sabe aquela recomendação: não jogue pilhas no fogo? Bom, eu simplesmente não consigo tirá-las de lá.*

Já os TDAs que não possuem tanta hiperatividade física e impulsividade tendem a se apaixonar à moda antiga: transformam o objeto da paixão em um ser idealizado. São capazes de gastar horas e horas de seus dias pensando no ser amado, em poesias que serão ditas e o quanto a vida será perfeita ao seu lado. Amam intensamente, no interior de suas mentes, mas não conseguem colocar em prática todas as coisas vivenciadas em seus pensamentos. Muitas vezes seus parceiros sequer sabem ou imaginam que são objeto de tão nobres sentimentos. Felizmente, toda essa emoção tende a transformar-se em poesias, obras literárias ou músicas. Clássico exemplo dessa forma de amar, de uma pessoa com comportamento TDA (predominantemente desatento), pode ser aferido nos versos imortais de Fernando Pessoa:

Quem tem dois corações
Me faça presente de um
Que eu já fui dono de dois
E já não tenho nenhum

Dá-me beijos, dá-me tantos
Que enleado em teus encantos
Preso nos abraços teus
Eu não sinta a própria vida
Nem minh'alma, ave perdida,
No azul amor dos teus céus

Botão de rosa menina
Carinhosa, pequenina,
Corpinho de tentação
Vem morar na minha vida

Dá em ti terna guarida
Ao meu pobre coração
Quando passo um dia inteiro
Sem ver o meu amorzinho
Cobre-me um frio de janeiro
No junho do meu carinho.

Na realidade, os problemas no relacionamento afetivo de pessoas com TDA começam a aparecer e causar grandes desconfortos após a fase da paixão. É muito fácil se apaixonar por um TDA, o grande desafio é ultrapassar a explosão inicial e estabelecer uma relação afetiva duradoura de crescimento e respeito mútuo.

As características do comportamento TDA que podem trazer maiores dificuldades dentro de um relacionamento íntimo são:

Esquecimentos, distração e desorganização

A instabilidade de atenção é o sintoma mais importante e marcante na vida dessas pessoas. É claro que isso lhes trará muitos problemas pessoais e cotidianos, como atrasos frequentes, perda de papéis importantes, chaves etc.

Quando esses problemas começam a acontecer dentro da relação afetiva, sérios conflitos podem aparecer, pois a desatenção do TDA pode se tornar muito irritante para seu parceiro. A esposa de um TDA, por exemplo, pode ficar muito desapontada quando seu marido esquece datas especiais e encontros marcados com antecedência, ou se enfurecer quando não é ouvida durante um jantar. É certo que, a longo prazo, esses descuidos geram raivas e mágoas que contribuem para uma atitude depreciativa do parceiro não TDA. Em contrapartida, o parceiro TDA pode adquirir uma atitude de retraimento com tendência a fugir dessa relação. Esse embate se torna um círculo vicioso, em que a convivência se transforma em algo insuportável para ambos.

Falta de controle de impulsos

Os impulsos nos TDAs podem se apresentar de várias formas: por meio de explosões afetivas, no comer, falar, trabalhar, jogar, fazer sexo, comprar ou usar drogas. Seja qual for a forma em que tais impulsos possam se manifestar, sempre trarão situações de desconfortos pessoais e grandes embaraços conjugais.

Já se imaginou casado com alguém que estoura todos os limites do cheque especial e dos cartões de crédito, ou que trabalha no mínimo 14 horas por dia e, ao chegar em casa, continua a fazer os trabalhos da firma?

Tais atos impulsivos geralmente são interpretados pelo parceiro não TDA como gestos egoístas, narcisistas ou mesmo infantis. Em grande parte, esses adjetivos estariam corretos se não soubéssemos que o TDA age assim em função de uma alteração neurobioquímica, que também não está sob seu controle. A ele, geralmente, cabe a culpa e o arrependimento de ter mais uma vez falhado na tarefa de pensar antes de agir e por ter criado novos problemas para si e desapontamentos para o parceiro.

Necessidade de estimulação constante

A maior parte dos indivíduos com TDA tem fascínio em buscar novos e fortes estímulos. É como se suas vivências cotidianas tivessem que acompanhar o ritmo acelerado e inquieto de seu cérebro, que já foi chamado por John Ratey — um especialista norte-americano em TDA — de "cérebro ruidoso".

A busca por estímulos fortes pode ocorrer de várias maneiras: praticar esportes radicais, realizar negócios arriscados, criar discussões exaltadas, participar de vários projetos simultaneamente, dirigir em alta velocidade, ter fascínio por motocicletas, sair às três horas da madrugada para comprar um livro ou apenas para tomar um café. Vale tudo para fugir do tédio e manter a vida em um ritmo acelerado e excitante. Em se tratando de relacionamentos afetivos, muita ação pode ser sinônimo de confusão. Por isso, é compreensível que, por muitas vezes, os cônjuges se sintam traídos, rejeitados ou mesmo esgotados com tanta emoção.

Dificuldades de se comunicar afetivamente

De um modo geral, pessoas com funcionamento TDA têm dificuldades de se expressar. Isso ocorre, em parte, pela velocidade com que seu cérebro processa os pensamentos, em função da sua hiperreatividade ao mundo externo e interno. Cérebros TDAs estão sempre atentos a diversos estímulos externos, ao mesmo tempo que criam histórias no seu mundo interno. Essa enxurrada de pensamentos gera uma disparidade entre o seu modo de pensar e a sua maneira de se expressar. Sabe-se que a língua falada e a escrita são formas de expressar o que se pensa. Assim sendo, a pessoa com TDA sempre apresentará dificuldades em uma dessas expressões, ou em ambas. No caso da escrita, poderá haver palavras, sílabas ou letras repetidas, omitidas ou mesmo trocadas.

Quanto à língua falada, a situação pode se tornar um pouco mais complicada, uma vez que a comunicação verbal é a base de todo processo de socialização do ser humano. A grande dificuldade do adulto com TDA nos seus relacionamentos afetivos é conseguir expressar, ao parceiro, aquilo que verdadeiramente sente, de maneira organizada. Muitas vezes, a rapidez de seus pensamentos o impede de falar o que é fundamental para se fazer compreender. Os pensamentos se sucedem em uma velocidade tão expressiva que acaba por esquecer o que de fato era importante ser dito.

Outro aspecto que torna a comunicação afetiva tão difícil é a baixa autoestima que quase sempre é fator de impedimento em verbalizar seus verdadeiros sentimentos, sob pena de se sentir rejeitado e não amado. Talvez seja esse o seu maior temor afetivo.

Os problemas de comunicação decorrentes da baixa autoestima do TDA têm início na sua vida infantil. São crianças mal-interpretadas e geralmente rotuladas de forma pejorativa como "rebeldes", "esquisitas", "preguiçosas", "burras" ou "más". A partir daí, as relações afetivas primárias (com familiares e cuidadores) começam a apresentar muitas desavenças, culpas, acusações e agressões. Na vida adulta, todas essas dificuldades irão influenciar a comunicação verbal nas relações afetivas. Muitos adultos com TDA tenderão a se calar com medo de provocar conflitos e/ou tenderão a dizer tudo que lhes vêm à cabeça com uma grande dose de agressividade. De qualquer forma, ambas as maneiras de reagir a um diálogo afetivo terão como consequência a não resolução dos conflitos essenciais da vida a dois.

A esta altura, você deve estar pensando: "Farei de tudo para não me apaixonar por um TDA." Ou se você acha que é um deles, deve estar apavorado e se questionando: "Onde encontrar um parceiro que possa me compreender e me ajudar nessa 'batalha de titãs', que é fazer com que eu tenha uma relação afetiva razoavelmente estável e feliz?" Pois bem, aos primeiros respondemos: não é nada fácil ficar imune aos encantos sedutores dos TDAs.

Aos próprios devemos prevenir que a tarefa não é tão simples, mas está longe de ser impossível. A dica fundamental aos TDAs é escolher uma pessoa especial, com virtudes e limitações, mas principalmente que goste de gente.

Ao casal pedimos que leia com muita atenção e carinho a pequena lista de dicas que fizemos ao longo de todos esses anos atendendo TDAs e seus parceiros. Sugerimos que cada um leia individualmente e depois releiam juntos com muita calma. O objetivo principal das dicas é contribuir para o estabelecimento de uma forma melhor de comunicação nos relacionamentos afetivos com os TDAs.

Discordem, debatam, reflitam, pensem, repensem, mas não deixem de tentar praticar pelo menos algumas delas:

1. Para quem é TDA, informe-se o máximo possível sobre o seu funcionamento. Só assim você compreenderá que certas circunstâncias não são provocadas intencionalmente por seu parceiro, e sim pela instabilidade do seu próprio "jeito de ser". Isso ajuda muito o TDA a não culpar o outro por seus erros ou insatisfações. Às vezes você ficará de mau humor pela sua maneira de agir, mas saiba que isso logo passará se buscar algo útil e interessante para fazer. Não caia na armadilha fácil e previsível de colocar suas motivações, angústias, alegrias, tristezas ou fracassos sob a responsabilidade de sua relação afetiva. Ninguém no mundo tem o poder de sozinho fazer você feliz ou infeliz. A informação sobre o problema também é imprescindível para o parceiro não TDA.

2. Tente sempre se colocar na posição do seu par. Lembre-se de que cada pessoa tem sua maneira de ser. Respeite o jeito do outro para que você também possa ser respeitado.

3. Seja sincero na sua relação amorosa. Ouça com atenção. Às vezes, sua visão dos fatos pode estar distorcida por sua hipersensibilidade.

4. Reserve um tempo por dia para ficar sozinho com seus pensamentos, e não se esqueça de explicar ao seu parceiro que isso é muito importante para o seu equilíbrio. É fundamental para fortalecer sua estrutura interna.

5. Não tenha medo de ser rejeitado por ser sincero. Para um TDA, uma relação afetiva só tem chance de dar certo se ele se sentir amado de fato, com suas qualidades e limitações.

6. Procure ter um mínimo de organização em seus relacionamentos afetivos. Pequenos gestos são suficientes para demonstrar que você está atento e trarão segurança ao seu parceiro. Dar um telefonema durante o dia, lembrar do jantar combinado, fazer uma leitura compartilhada de um jornal de domingo... Com o tempo, o hábito trará bons resultados.

7. Não diga "sim" quando quiser dizer "não". Se não tiver vontade de ir a uma festa do trabalho dele(a), não vá, pois seu impulso reprimido tornará o compromisso bastante desagradável para ambos.

8. Não crie brigas só para ter motivos para sair com amigos ou dar um "rolé" por aí. Seja sincero e explique que isso, às vezes, acontece com você em períodos de muita inquietação, e que essas saídas acalmam a agitação da sua mente.

9. Siga seu tratamento médico e estimule seu parceiro a participar dele, criando cumplicidade e melhorando o entendimento.

10. Tente entender que, por ser TDA, muitas vezes você se verá envolvido por impulsos sedutores, que, na realidade, só representam a busca imediata de um novo estímulo ou servem apenas para "testar" sua capacidade de conquistas. Por isso mesmo, pense no mínimo três vezes antes de partir para um jogo de sedução.

11. Tenha a humildade de permitir que o mais organizado dos dois tome a frente das responsabilidades financeiras do casal. Se você não consegue controlar talões de cheque, cartões de crédito, contas de luz, gás, telefone etc., deixe que seu parceiro administre tudo até que você se sinta capaz de contribuir.

12. Crie o hábito de elogiar o outro. Isso fará com que ele se sinta presente em seus pensamentos e o estimulará a fazer o mesmo. Você sabe quanto um elogio pode levantar o astral de um TDA? Muitíssimo!

13. Cuidado para não se "contagiar" com problemas afetivos de casais amigos. Concentre-se em resolver os conflitos da sua vida amorosa e não tome parâmetros externos para esse fim.

14. Nunca utilize o fato de ser TDA como desculpa para fracassos afetivos. O conhecimento desse comportamento, aliado a uma vontade verdadeira de melhorar como pessoa e a dois, pode lhe render excelentes resultados.

Algumas dicas bem valiosas também podem ser observadas pelos parceiros dos TDAs. Aqui, vale destacar que, segundo estatísticas, os homens são mais propensos a terem TDA do que as mulheres. Sendo assim, o cônjuge de um TDA será mais provavelmente uma mulher. Uma "sobrecarregada" e "solitária" mulher. No entanto, as sugestões fornecidas abaixo são válidas para ambos os sexos:

1. Não se culpe por ele ser TDA. Você pode ajudá-lo a buscar auxílio médico e psicológico, contribuir em sua organização particular, facilitar um pouco mais a vida dele. No entanto, não é sua missão "resgatá-lo". Não tente ser onipotente. Por mais frustrante que isso possa parecer, o comportamento TDA não desaparece como num passe de mágica. Você não é responsável pelas tristezas ou frustrações inerentes ao funcionamento TDA. Fuja desse caminho e dos pensamentos do tipo: "preciso ser mais tolerante com ele", "não custa dar uma forcinha", "se eu o ajudasse mais...".

2. Não acoberte as falhas do TDA. Os parceiros dos TDAs tendem a assumir o papel de "zeladores" da família, principalmente se forem mulheres, uma vez que culturalmente estas são bem mais tolerantes com maridos e filhos. Elas recolhem roupas e papéis espalhados pelo chão, acham documentos perdidos, lembram-se das datas importantes da família, pagam todas as contas e limpam os cafés, sorvetes e sucos derramados. Lembre-se de que nenhum ser humano é incompetente, temos uma natureza que nos permite aprender tudo com a experiência da vida. Não caia na cilada de achar que controlar e assumir todas as responsabilidades de seu parceiro lhe dá "poder" sobre ele. Viver integralmente para administrar a vida do outro traz a sensação de ser escravo particular de alguém. Isso gera mágoas, desentendimentos e não beneficia ninguém. Tenha sua vida própria, tire as tarefas dele de seus ombros. Escolha suas responsabilidades de acordo com as consequências, como, por exemplo, pagar a conta de telefone, caso contrário, isso trará problemas para ambos. Não mande cartões de aniversário para os parentes dele. Se quiser, mande você os seus em seu nome. Agindo assim, você ficará menos ressentida e dará a ele oportunidade de aprender com a experiência da vida cotidiana.

3. Dê mais atenção a você. Parceiros afetivos de TDAs sempre reclamam do egoísmo ou narcisismo deles. Na realidade, esse comportamento aparente é fruto de sua autoconcentração; ou seja, frequentemente estão tão absortos em pensamentos, ideias e imagens que se esquecem do mundo ao seu redor. Essa desatenção é muito difícil de ser aceita pelos parceiros dos TDAs. Lembre-se de que isso não é contra você; afinal, ele tem deficit, ou melhor, uma instabilidade de atenção. Tente se colocar em primeiro lugar, pelo menos em sua vida profissional e pessoal. Sem rancor, mágoas ou culpas. Isso será sadio para ambos.

4. Não permita abusos. Alguns TDAs podem ter grandes dificuldades em controlar seus impulsos verbais e às vezes físicos. Abuso verbal ou físico não é para ser tolerado em nenhum relacionamento. TDA não pode ser desculpa para isso. Como um adulto, seu parceiro TDA deve aprender a lidar com a raiva e a frustração de uma maneira aceitável. Se ele não consegue conter seus impulsos, precisa da ajuda de um profissional. Insista para que procure ajuda médica.

5. Procure apoio. Os parceiros dos TDAs muitas vezes tendem a se sentir isolados e solitários, em face do tempo que a vida deles toma da sua. Se você tem dificuldade em mudar essa engrenagem vital, procure apoio. Os locais especializados em tratamentos de TDAs contam com equipes que orientam seus parceiros e os ajudam a reconduzir sua vida pessoal, social, afetiva e profissional de uma maneira mais agradável e saudável para ambos.

6. Valorize e reafirme as pequenas vitórias. Não esqueça: seu parceiro não é só o transtorno dele. Dentro de seu comportamento TDA, existem qualidades que não devem ser esquecidas. Ser parceiro de um TDA pode ser muito desgastante, mas não deixe o desgaste encobrir as coisas boas que ele faz ou tenta fazer por você. Converse com ele e explique que você também aprecia elogios e agrados. Uma conversa carinhosa com um TDA pode surtir grandes efeitos positivos. Não se esqueça de que a hipersensibilidade é uma das características dos TDAs. Nesse aspecto, algo que merece destaque é o que se chama de "concentração equivocada". Um bom exemplo disso é quando seu marido TDA faz uma surpresa e lhe dá de presente uma roupa da moda, mas que você só poderia usar se fosse vinte anos mais nova, ou seja, quando vocês ainda eram namorados. Ou ainda a presenteia com uma linda cesta de chocolate, esquecendo-se de que seu colesterol está altíssimo. Quando isso ocorrer, não perca o humor, afinal poucas pessoas no mundo cometem gafes tão engraçadas. Ele pensou em lhe agradar de fato; entretanto, sua concentração estava no lugar errado (equivocado). Tente rir da situação, não fique magoada. Estimule-o a tentar outras vezes. Com o tempo, ele acabará acertando.

TDA e dependência de pessoas

Os TDAs têm uma tendência a dependências em geral. Essa dependência muitas vezes pode se manifestar em uso de drogas, álcool, medicamentos. Em tais casos, verifica-se que, quase sempre, o consumo de certas substâncias costuma ocorrer como consequência de um cérebro que busca, incessantemente, se acalmar, se organizar ou mesmo se manifestar de maneira mais efetiva ou estruturada, na relação consigo mesmo ou com os outros. E é nesse aspecto do relacionar-se com o(s) outro(s) que se inicia, desde muito cedo, o desenvolvimento de relacionamentos que terão como tônica a dependência de pessoas. Isso, geralmente, é um fator de estrutura para o TDA. Se considerarmos que qualquer convivência (afetiva ou profissional) baseada na dependência não traz boas consequências, é fácil supor onde fica o "calo" do TDA. É claro que para todas as pessoas, TDAs ou não, estabelecer relações saudáveis e independentes é importante. No entanto, para o TDA esse fator é primordial para sua estabilidade pessoal e aproveitamento de seu potencial produtivo.

Se lembrarmos que a hipersensibilidade e a hiperreatividade são características do comportamento TDA, podemos logo imaginar ou mesmo constatar o grande estrago que relações desse tipo podem causar.

As relações de dependência de pessoas TDAs podem ser classificadas de três maneiras genéricas:

- Dependência Ativa
- Dependência Passiva
- Dependência Mascarada

Essa classificação é empírica e fruto da nossa observação clínica diária, em contato com o sofrimento afetivo dos TDAs. Sofrimento que sempre traz intensos e angustiantes problemas cotidianos. A classificação se baseia na origem da formação emocional desses indivíduos, que começa na infância, pois é justamente aí que se inicia todo o alicerce de nossa estrutura interna. Alicerce que será o terreno sobre o qual nossa autoestima irá se assentar, seja para crescer saudável, seja para manter-se frágil e dependente de referências externas, que, por serem externas, estarão sempre sujeitas a variações imprevisíveis. Para que fique mais claro, imagine que a autoestima seja uma aplicação financeira que está totalmente vinculada a variações das bolsas de valores mundiais. Logo se constata que, como um investimento financeiro de grande porte, nesse tipo de aplicação, nossa autoestima sofre grande risco de se ver quebrada e aniquilada de maneira temporária ou, quem sabe, para o resto da vida.

Assim sendo, a estruturação interna irá determinar a autoestima de cada um de nós. Esta, por sua vez, será responsável pela capacidade individual de reagir às dificuldades da vida, principalmente na área emocional.

Dependentes ativos

O adulto TDA, que irá desenvolver esse tipo de dependência de pessoas, provavelmente foi uma criança cuja estrutura emocional se iniciou num ambiente (família, escola e comunidade) de insegurança. Medos racionais e irracionais foram despertados, e viu-se impelido a enfrentá-los. Partiu da premissa de que poderia cuidar de si e das pessoas mais frágeis ao seu redor, do seu jeito, e, quando necessário, se valeria de seu impulso, até mesmo de forma agressiva, para defender os fracos e oprimidos, inclusive ele próprio. Na realidade, vestiu-se de super-herói e acabou por acreditar que sua força estava em sua roupa e não dentro de si.

É claro que essa criança cresceu e suas atribuições aumentaram nas mesmas proporções de seu corpo. Quanto à sua roupa, fez de tudo para esticá-la, mas é claro que já não era suficiente para esconder todos os seus medos e inseguranças. É aí que cai em outra "cilada", tenta substituir a roupa velha e apertada por objetos externos (carros importados, relógios, canetas de grife) ou relacionamentos. Tudo tem que estar sob seu controle: os objetos e, principalmente, as pessoas.

A regra básica é: "deixe-me controlar tudo, pois assim me sinto seguro". São geralmente os TDAs que alcançam grande sucesso no trabalho (empresários, executivos e políticos), mas tendem a centralizar tudo na sua pessoa e com isso acabam por se sobrecarregar. O estresse, seguido de exaustão física e mental, é inevitável.

Com esse funcionamento, o TDA pode produzir relacionamentos afetivos e profissionais desastrosos para ambos os lados. Principalmente para ele próprio, pois a sobrecarga, muitas vezes, ocasiona estados depressivos nos quais se verá como uma pessoa explorada pelos outros. Assim, poderá pensar que tais pessoas só estão ao seu lado pelo que ele pode oferecer e não por ele mesmo. Isso irá abalar sua já fragilizada autoestima, fechando um círculo vicioso de autodepreciação e insegurança.

Seus parceiros (afetivos ou profissionais), por sua vez, atravessarão momentos de raiva; afinal, todo controlado costuma nutrir sentimentos hostis por seus controladores, que geram ressentimentos, acomodações e muitas manipulações na relação. Em determinado momento o controlado pode não saber mais se ama, depende ou precisa do controlador. O resultado final será quase sempre a falência da relação, que só poderá ser salva se ambas as partes tiverem compreensão e vontade verdadeira de reverter esse jogo de cartas marcadas.

Fabiana, veterinária, 37 anos, foi uma menina TDA hiperativa, criada em um ambiente que não lhe proporcionou segurança. Sentia que o pai, embora extremamente amoroso e cuidadoso, nunca levou a vida a sério. Estava sempre brincando, tentando desviar o foco dos assuntos mais importantes e assim minimizá-los. Fabiana sentia que o pai jamais enfrentara os problemas e desafios de sua vida. Aos 54 anos, ainda agia como um adolescente que não sabia muito bem o que "iria ser quando crescer". A inteligência dele era inquestionável, mas seu potencial prático em utilizá-la era algo em torno de zero.

Hoje ela se tortura com isso, pois percebe que "herdou" certa disposição despreocupada do pai e crê que isso a desvia do enfrentamento de situações mais sérias. O que ela não sabia, e começou a elaborar em seu processo de terapia, é que, na verdade, sempre esteve dolorosamente consciente de todos os problemas pelos quais passou e está passando, mas busca ativamente esquecê-los através de passatempos pueris que só fazem aumentar o seu sentimento de culpa e comparar-se ao seu pai, "o zé-ninguém bonachão".

Segundo Fabiana, sua mãe é uma pessoa melindrosa, um tanto infantil, que não se furta a teatralizar e lançar mão de mal disfarçadas chantagens emocionais para conseguir tudo o que deseja. Fabiana se exaspera quando, por motivos fúteis, a mãe finge passar mal e arremessa vários objetos ao chão tal qual uma criança mimada. "Eu não consigo deixar de sentir raiva dela. Sei que não posso contar com nem um nem outro. Eles é que precisam de mim."

E, assim, assumindo a posição de cuidadora e ponto de equilíbrio da família, Fabiana vai adiando o momento em que poderia deixar a casa dos pais e viver a própria vida. O que ela ainda não consegue admitir conscientemente é o fato de ser dependente desse ambiente e dessa relação familiar. Assumir a posição de "racional" na família proporciona-lhe a estrutura de que precisa para se organizar e se sentir no controle de algo. A estimulação constante proporcionada por seus familiares, na forma de brigas e diversos outros problemas, sempre a deixam na posição de timoneiro de um navio em mar revolto. Nos relacionamentos afetivos, ela luta para assumir o controle de tudo, forçando o parceiro a desenvolver uma delicada dependência de sua pessoa. Dessa forma, ela reproduz a mesma estrutura e dinâmica afetiva que possui com seus pais. Quando não está às voltas com a família, está cuidando do namorado; jamais dela mesma. Se por acaso sobra-lhe algum tempo, volta-se para os passatempos sem conteúdo. "Afinal, depois de tantos aborrecimentos, em casa, no trabalho, no namoro, eu preciso ficar um tempo sem pensar em nada sério."

O que Fabiana tenta impedir o tempo todo é a sensação de estar sendo, talvez, acomodada como o pai, e a impressão de que deveria estar estruturando a própria vida e não a da família ou a do namorado. Armadilhas de uma mente TDA que reluta em se organizar, amadurecer e assumir as responsabilidades da vida adulta.

Dependentes passivos

O TDA que desenvolve dependência passiva com as pessoas foi uma criança que, provavelmente, teve sua estruturação emocional iniciada num ambiente em que seus cuidadores tinham tendência à superproteção. Assim, sempre que surgia um problema, este era resolvido de pronto, sem que ela pudesse agir por iniciativa própria. Nas poucas vezes que essa criança tentou tomar atitudes sozinha, sem que seus cuidadores soubessem, teve sua iniciativa severamente criticada.

Com o passar dos anos, a criança se habituou a essa cômoda situação, até porque as críticas recebidas lhe causavam muitos desconfortos. Aprendeu a se calar e esperar que os outros fizessem por ela tudo aquilo de que viesse a precisar. Vestiu a pele do "patinho feio" e acreditou que essa roupagem era eficaz contra suas inseguranças, medos e censuras.

A criança cresceu e agora sua roupa de patinho feio não é mais aceita perante as cobranças da vida. Trata-se de um adulto sem qualquer estrutura interna e autoestima para fazer frente às adversidades. Sua segurança está novamente fora de si, precisa de parceiros afetivos e profissionais que lhe digam onde e como fazer suas atribuições. A insegurança, que já era grande, agora é maior que a estátua do Cristo Redentor que ele vê todos os dias no caminho para o trabalho.

Esses TDAs acabam por se tornar pessoas de sucesso limitado, pois são incapazes de exercer todo o seu potencial. No trabalho, na família, no contato social, necessitam de alguém que lhes dê as instruções corretas. Suas relações se tornam muito desgastantes para ambos os lados, pois pessoas passivas precisarão de pessoas ativas que lhes mostrem o caminho. Além disso, por medo de perdê-las, tenderão a escolher parceiros não por afeto, mas por necessidade de direção.

No início, seus parceiros podem gostar da ideia de darem as cartas, mas, após algum tempo, se sentirão sobrecarregados e usados pelo dependente passivo. O resultado também será a falência da relação ou a permanência nesse pacto de infelicidade.

Luana é professora de português, tem 34 anos, mas ninguém lhe dá essa idade. Não só porque o tempo e a genética a favoreceram, mas também porque seu jeito extremamente frágil faz com que as pessoas lhe atribuam dez anos a menos. Sua fala é baixa, o tom é agudo e infantil. Quando está só, divaga e sonha acordada, como uma típica TDA sonhadora. Quando alguém se apresenta para conversar, Luana, invariavelmente, inicia um discurso em que, até sem querer, ou por já estar condicionada, dá demonstrações de sua fragilidade e dependência. Pega um gancho em qualquer assunto e diz indiretamente o quanto quer ser cuidada. Pede conselhos sobre qualquer coisa, com perguntas do tipo "ai, o que eu faço, hein?", e o seu discurso é pontuado de diminutivos: "oizinho", "estou tristinha hoje". Após algum tempo de diálogo, o interlocutor começa a se sentir desconfortável, sobrecarregado e culpado por querer terminar a conversa.

Luana contou, em terapia, que certa vez perguntou a uma de suas amigas qual seria o motivo de não conseguir se firmar na vida amorosa. Ouviu a resposta que não queria: "Quase ninguém se sente capaz de dar conta de tamanha dependência." Infantilmente, Luana tomou essa observação como "bronca" e achou que a amiga não gostava mais dela. Com o tempo, Luana passou a elaborar melhor seus sentimentos e a perceber o quanto era imatura, reagindo como uma criança amuada e que não aprendia com os conselhos que ela mesma pedia aos amigos.

Obviamente, Luana tende a se interessar e se apaixonar por pessoas controladoras, a quem admira, mas sem tentar absorver algo delas. No entanto, mesmo os homens mais dominadores não se sentem confortáveis no papel de cuidadores *full time*. Eles acabam fugindo.

Sua vida profissional é apenas um arremedo. Leciona em uma escola particular e ganha pouco. Seu último namorado lhe perguntou por que nunca tinha feito concurso público para o magistério, ou mesmo para qualquer outra área que exigisse nível superior. Luana refletiu: "É mesmo, por que não?" Na realidade ela nunca pensou em outra saída, principalmente nas que exigissem iniciativa e escolha. Atravessou seus dias em movimento inercial.

Sem condições de sair da casa dos pais, até hoje é tratada como adolescente, inclusive com proibições de fazer alguns programas ou de chegar após certo horário. O ambiente familiar de Luana foi, ao mesmo tempo, causa e consequência do seu funcionamento afetivo. Cresceu sob comandos, não reagiu e abriu a porta para que seus pais e irmãos se tornassem cada vez mais diretivos. Atualmente, vê a conquista da independência financeira como a saída mais lógica para esse impasse, e está fazendo por onde: prepara-se para vários concursos. A questão mais importante a trabalhar em terapia é o fato de, uma vez conquistado o seu objetivo, conseguir, também, se desvencilhar de sua dependência afetiva. Não precisar que outras pessoas lhe apontem a direção ou que a levem pelas mãos.

Uma observação muito importante é que a dependência passiva ou ativa não é um funcionamento estanque. No dia a dia da nossa prática clínica, pudemos observar que a grande maioria das pessoas alterna esses dois estilos, dependendo do contexto ou das pessoas com quem está lidando. Um TDA que desenvolva relação de dependência afetiva ativa com a família pode funcionar em um estilo de dependência passiva em seu trabalho ou na convivência com amigos, por exemplo. Os únicos tipos menos flexíveis que pudemos identificar, e que são minoria, serão descritos no próximo tópico.

Dependentes mascarados ("Egoístas")

Este é um tipo disfarçado de dependente. Quando criança, seu histórico de vida se desenrolou em um ambiente pouco seguro e desestruturado. Sentia-se desamparado, principalmente por ver em seus cuidadores comportamentos omissos e também com desajustes psíquicos (vícios, doenças mentais). Essa criança não teve condições de perceber que ali reinava um ambiente adoecido, mas sim que seus responsáveis eram incapazes e hostis. Por isso resolve tomar as rédeas da própria vida e partir em busca de realizações externas que lhe confiram segurança. Passa a vestir a pior de todas as roupas: a da indiferença. Imagina que assim possa dar seguimento a sua vida, com sucesso profissional e sem se responsabilizar por seus familiares. Afinal, quem precisa de pessoas problemáticas por perto?

Nessa categoria encontram-se os adultos que alcançam grande sucesso na vida profissional, desde que possam exercer suas tarefas de forma solitária. Caso sejam obrigados a desenvolver convívio em grupo, fracassam por total impossibilidade de se relacionar com equipes de trabalho.

Quanto às relações afetivas, não há o que falar, pois nem chegam a existir de fato. O que pode haver é um rudimento de relação em que regras rígidas são estabelecidas pelo mascarado, para que a convivência com alguém nunca se torne uma relação verdadeira. É muito difícil encontrar um parceiro que aceite tais limites. Se isso ocorre, estabelece-se uma convivência formal em que há poucas chances de ocorrerem trocas que possam contribuir para a segurança emocional de ambos.

Júlio é um típico representante desse grupo. TDA hiperativo/impulsivo. Advogado bem-sucedido, é um *workaholic* confesso aos 29 anos. Nascido em uma família de classe média baixa, a qual ele define como desestruturada. Provavelmente, a desestruturação vista por ele era a doença do pai, que sofria de transtorno bipolar do humor (anteriormente chamada de psicose maníaco-depressiva). Sua mãe tinha frequentes crises depressivas e era bastante queixosa. Para ele, não passava de uma "fraca". O pai, um "incapaz". Os dois se escondiam atrás de doenças, em sua opinião. Muito cedo, aprendeu a engolir o choro e a resolver seus próprios problemas. Sentia que não podia contar com os pais para nada, muito embora já comece a admitir que lhes deu poucas chances. Não perdoou as primeiras falhas dos pais e não quis pagar para ver se haveria outras.

Autodidata, galgou posições e adquiriu conhecimentos sozinho, estudando em bons colégios públicos, vencendo as disputas acirradas das perversas relações candidato-vaga. Por inúmeras vezes, estudava na garagem, já que seus familiares não respeitavam ou não compreendiam sua necessidade de isolamento. Foi favorecido com uma capacidade fantástica de hiperfoco.

Hoje, mantém da família uma distância definida por ele como "segura". Faz questão de não auxiliar os pais ou irmãos mais novos. "Não posso carregar em meus ombros o resultado da indolência deles", frisa. Justifica-se dizendo que "estaria perpetuando a pachorrice da família. Ouço por aí que não se deve dar o peixe, mas sim ensinar a pescar. Mas nem isso tenho vontade de fazer. Nem isso tive, alguém que me ensinasse a pescar!". Está noivo há sete anos, mas não vê com bons olhos a perspectiva de casar. Poderia considerar tal possibilidade, mas só se a noiva concordasse em morar em casas separadas. Sua noiva faz parte de seu estilo de vida, mas não de sua vida, afetivamente falando. Faz questão de que ela seja independente e incomoda-o a perspectiva de alguém contar com ele ou precisar dele para alguma coisa. As despesas do casal são divididas na metade exata. Filhos, nem pensar. Procurou tratamento porque tem sentido uma incômoda falta de concentração. Está ansioso com a proximidade dos concursos públicos na área jurídica. Em sua opinião, esse é o seu único problema no momento. Sente-se infeliz, mas não sabe o porquê.

Numa folha qualquer eu desenho um sol
amarelo/
E com cinco ou seis retas é fácil fazer um
castelo./
Corro o lápis em torno da mão e me dou uma
luva,/
e se faço chover, com dois riscos tenho um
guarda-chuva.//
Se um pinguinho de tinta cai num pedacinho
azul do papel,/
Num instante imagino uma linda gaivota a
voar no céu./
Vai voando, contornando a imensa curva
Norte e Sul,/
Vou com ela, viajando, Havaí, Pequim ou
Istambul.

"Aquarela"

(Toquinho, Vinicius de Moraes, G. Morra e M. Fabrizio)

CAPÍTULO 5

O que os TDAs Têm que os Outros não Têm?

IDEIAS, SENSAÇÕES E EMOÇÕES QUE NÃO PODEM SER QUANTIFICADAS: A QUESTÃO DA CRIATIVIDADE...

Quando se pensa em TDA, logo vem à mente a imagem de um cérebro em estado de "caos", que ocasiona na vida de seus portadores uma existência marcada por distrações, bombardeio constante de estímulos vindos de todas as direções, incapacidade de distinguir fatos relevantes frente aos irrelevantes, inquietação intensa e impulsividade fora de controle. Diante dessa visão restrita, pode-se ter a ideia errônea de que todo TDA estaria fadado ao fracasso e insucesso na vida, principalmente na área social e profissional.

Mas é justamente aí que surge uma questão, no mínimo, intrigante: como explicar então o fato de TDAs brilhantes atuarem nas mais diversas áreas profissionais? E mais: o que dizer sobre a genialidade inquestionável de Mozart, Einstein, Henry Ford, Leonardo da Vinci e muitos outros que apresentavam e apresentam um funcionamento TDA inegável?

Muitas teorias têm sido elaboradas com o intuito de elucidar a aparente inexplicabilidade do sucesso obtido por personalidades com comportamento TDA nos mais diversos setores do conhecimento humano. Infelizmente, a ciência não tem uma explicação exata para esse fato; até porque o funcionamento cerebral humano não segue nenhuma lógica aritmética previsível. Afinal, ideias, sensações e emoções não podem ser quantificadas, sob pena de deixarem de ser características humanas imensuráveis.

Neste território tão empírico, uma coisa é certa: o funcionamento cerebral TDA favorece o exercício da atividade humana mais transcendente que existe — a criatividade. Se entendermos criatividade como a capacidade individual de ver os mais diversos aspectos da vida através de um novo prisma e então dar forma e corpo a novas ideias, notaremos que a mente TDA, em meio à confusão resultante do intenso bombardeio de pensamentos, é capaz de entender o mundo sob ângulos habitualmente não explorados. Assim, quando um TDA pensa, por exemplo, na palavra azul, ele é capaz de acionar um sistema visual derivativo que, a partir daí, torna possível ver o mar, céu, lazer, calma, descanso, paz, natureza, romance, música tranquila, sol, calor e assim por diante. Esse pensamento derivativo, de aspecto visual, muitas vezes é responsável por estados confusos e de desatenção; mas, por outro lado, é capaz de intensificar, de maneira bastante favorável, o processo de criatividade.

Não é só a hiperatividade mental que favorece o processo criativo nos TDAs. Outros aspectos desse funcionamento cerebral devem ser destacados: a impulsividade, o hiperfoco e a hiperreatividade.

A impulsividade é responsável pela escolha de uma ideia entre os milhares que circulam pelo cérebro dessas pessoas. Sem o impulso, uma ideia não poderia se corporificar em uma ação criativa. O que seria do automóvel se Henry Ford não tivesse tido o impulso de transformar sua ideia em uma criação de fato? Dessa maneira, pode-se entender o impulso como o meio de transporte mais eficaz para que as ideias comecem a sair do plano virtual para o real.

O hiperfoco pode ser definido como a capacidade que um TDA possui de se hiperconcentrar em determinadas ideias ou ações. Parece estranho falar em hiperconcentração para pessoas que são designadas como portadoras de deficit de atenção, mas, como já mencionamos anteriormente, preferimos usar o termo "instabilidade" de atenção e não deficit. Isso porque um TDA pode alternar estados atentivos de maneira radicalmente intensa, em função do tema ou assunto em questão. Movidos por um impulso passional, os TDAs são capazes de permanecer horas e dias hiperconcentrados em uma determinada ideia, possibilitando, dessa maneira, a realização de um processo criativo até o seu ponto final — a obra criativa —, a materialização da ideia inicial.

A hiperreatividade é responsável pela capacidade da mente TDA em não parar nunca. Trata-se de uma hipersensibilidade que essas mentes possuem em se "ligar" a tudo ao mesmo tempo. Dessa forma, o cérebro TDA funciona como uma antena parabólica que gira ininterruptamente, captando simultaneamente os mais diversos estímulos do mundo externo. É como se o mundo lhe fosse interessante e instigante o tempo todo. Por isso é tão comum observar TDAs em situações do tipo: lendo um livro enquanto assiste à TV e fazendo observações coerentes sobre uma conversa familiar que está acontecendo ao seu redor.

O grande poeta Fernando Pessoa ilustra de maneira irreparável esse fato em um de seus poemas, ao afirmar: "Porque, de tão interessante que é a todos os momentos / A vida chega a doer, a enjoar, a cortar, a roçar, a ranger."

A hiperreatividade externa (em relação ao mundo) pode ser aliviada quando o TDA tenta se colocar em ambientes mais calmos e, por isso mesmo, menos excitantes. No entanto, existe uma outra hiperreatividade, a interna, que parece não ter fim.

Esta, como o próprio nome indica, ocorre no interior do universo mental do TDA. Uma vez que sua mente está sempre reagindo a si mesma, ela pensa e repensa todo o tempo. Tal qual um vulcão fora de atividade, um TDA pode apresentar-se calmo e tranquilo externamente, mas, por dentro, mantém-se agitado e inquieto.

Tanto a hiperreatividade externa como a interna são responsáveis por um estado de inquietação mental permanente, que mantém toda uma rede de pensamentos e imagens em atividade intensa, propiciando assim o processo criativo dos TDAs.

Antes de prosseguirmos, é fundamental que sejam estabelecidos alguns conceitos. Quando se destaca que o funcionamento TDA propicia a criatividade, está-se inferindo que estas pessoas, em sua grande maioria, são seres criativos. No entanto, nem todos serão criadores. O que pretendemos enfatizar aqui é a importância de o processo criativo ser concluído, ou seja, iniciar-se na ideia ou pensamento criativo e finalizar-se na obra criativa. Como exemplo do exposto, destacamos o feito de Graham Bell. Ele partiu de uma ideia criativa: tornar possível a comunicação de pessoas que se encontravam distantes umas das outras. E seguiu até o ponto final desse processo, que se constituiu em sua obra criativa: o telefone.

Por esse enfoque, pode-se afirmar que Graham Bell foi mais do que um ser criativo. Cabe-lhe o status merecido de criador.

Exatamente nesta dialética "criativo X criador" encontra-se o maior de todos os desafios para um TDA. A mágica está em tornar produtivo e completo todo esse mecanismo. A maioria dos TDAs se perde no meio do caminho, dissipando sua energia em várias frentes, em vez de canalizá-la para um único objetivo de cada vez. Será visto mais adiante que o cerne do tratamento dessas pessoas consiste em descobrir e organizar um processo de transformar ideias em fatos, assim como sair da inércia para a ação. Afinal, é isso que distingue os indivíduos criativos dos criadores.

TDA, criatividade e hemisfério direito

Em 1990, Alan Zametkin (do National Institute of Mental Health) constatou que havia uma "ciranda" bioquímica diferente nos cérebros de pessoas TDAs. Seus estudos abriram as portas para um entendimento mais acertado, científico e, principalmente, justo para milhares de pessoas que, em vez de serem corretamente identificadas e tratadas, eram "discriminadas" pela desinformação do comportamento TDA. Através de um exame chamado PET-SCAN — uma espécie de tomografia cerebral sofisticada que utiliza material radioativo —, Zametkin pôde avaliar o metabolismo cerebral, durante a realização de tarefas que testavam a atenção e a vigilância em indivíduos com comportamento TDA. Ele observou uma redução na captação de glicose radioativa no cérebro dessas pessoas. Sabendo-se que a glicose (açúcar vindo dos alimentos) é a principal fonte de energia das células cerebrais, tem-se que a redução de seu aproveitamento significa uma diminuição na atividade energética dos cérebros TDAs. O dado mais importante nesse estudo foi a constatação de que a redução metabólica era maior na região frontal do cérebro — a parte a que os leigos chamam "fronte".

Considerando-se que o lobo frontal é o grande "filtro" inibidor do cérebro humano, pode-se entender que muitos dos sintomas TDAs surgem por uma redução parcial da capacidade do lobo frontal em bloquear e filtrar estímulos ou respostas impróprias vindas das diversas partes do cérebro com o objetivo de elaborar uma ação apropriada no comportamento humano. Assim, se o filtro "falha", a ação final será mais intensa ou precipitada do que deveria ser. Daí a impulsividade e/ou a hiperatividade no funcionamento desse cérebro tão sem freio quanto veloz.

Com relação à atenção ocorre o mesmo processo: sem um filtro eficiente, a mente TDA é invadida por uma avalanche de estímulos que acabam por desviar seu foco atentivo a todo instante. Por isso tudo é que costumamos dizer que os cérebros TDA andam a 200km/h, enquanto os demais se mantêm nos permitidos 80km/h.

Em estudos posteriores realizados por H.C. Lou, este chegou às mesmas conclusões de Zametkin sobre a diminuição do fluxo sanguíneo (marcado com glicose) nas regiões frontais dos cérebros TDAs. No entanto, os estudos de H.C. Lou demonstraram um pequeno e fundamental detalhe: a redução da captação da glicose radioativa transportada pelo fluxo sanguíneo era maior e mais bem definida no hemisfério direito do que no hemisfério esquerdo do cérebro.

Essa pequena diferença pode ser decisiva para explicar o funcionamento TDA como um todo, tanto nos seus aspectos mais difíceis quanto nos seus aspectos mais prodigiosos e criativos, como veremos adiante.

Atualmente, muitos pesquisadores chegam a afirmar que o PET-SCAN só possui valor complementar no processo diagnóstico de um indivíduo com história pessoal de TDA se a redução do fluxo sanguíneo estiver restrita à região frontal do hemisfério direito do cérebro. Confessamos ter muita simpatia por esses estudos, até porque, em nossa prática clínica, temos solicitado como rotina o exame denominado SPECT (muito semelhante ao PET-SCAN, já que este é, ainda, de restrita disponibilidade no Brasil) em pacientes com história clínica positiva para TDA. Pudemos observar, então, que os pacientes que apresentavam correlação mais fidedigna entre a história pessoal de TDA e o resultado do SPECT eram justamente aqueles em cujo exame era evidenciado um deficit de fluxo sanguíneo na região frontal do hemisfério direito do cérebro.

A correlação recente entre TDA e região frontal direita, evidenciada por tomografias sofisticadas, nos leva a pensar na existência de uma assimetria funcional entre os hemisférios direito e esquerdo no cérebro dessas pessoas. Isso aconteceria pelo fato de o lobo frontal direito apresentar uma redução em suas atividades inibitórias, possibilitando, dessa forma, uma atividade aumentada em todo o lado direito do cérebro ou, pelo menos, em todas as áreas do hemisfério direito que têm conexão direta ou indireta com a região frontal deste mesmo lado. Através dessas duas possibilidades tentaremos justificar algumas vertentes do comportamento TDA, enfatizando sua capacidade criativa a partir do raciocínio e suas tomadas de decisões, ambos os mecanismos alimentados e endossados pelo combustível da intensa rede emocional da mente TDA.

Antes de prosseguir, gostaríamos de deixar claro que as hipóteses sobre o hiperfuncionamento cerebral dos TDAs, a partir do lobo frontal direito, responsável por sua capacidade criativa de base emocional, são abordagens exploratórias de base empírica, advindas de nossa prática médica diária e, por isso mesmo, longe de se constituir certeza absoluta sobre tão desafiante tema. É claro que alimentamos a esperança de que possam tornar-se verdades comprovadas com as descobertas científicas, que virão com o tempo. No momento, não podemos impedir que nosso impulso médico-científico selecione tais ideias, com o intuito de compreender e explicar, pelo menos em parte, a tão fascinante criatividade "irracional" do mundo TDA.

Hemisfério direito

A visão do contexto no texto da vida

O cérebro humano, como se sabe, é composto por duas grandes partes chamadas de hemisfério direito e hemisfério esquerdo, separadas por uma estrutura neurológica chamada corpo caloso, que seria uma espécie de ponte, tornando possível a comunicação entre os dois lados cerebrais.

Desde os primeiros estudos realizados a partir da secção do corpo caloso, percebe-se uma interação harmoniosa dos dois lados.

No entanto, os cientistas vêm esclarecendo, de forma mais detalhada, as funções que cabem, preferencialmente, a cada um dos hemisférios e a participação de ambos na manutenção da eficácia cerebral.

O hemisfério direito apresenta algumas capacidades que nos levam a conceituá-lo como o hemisfério do contexto, ou seja, ele possibilita que tenhamos uma visão geral do mundo. Já o hemisfério esquerdo oferece uma visão mais detalhista. Dessa maneira, pode-se inferir que o lado esquerdo do cérebro escreve o texto de nossas vidas e o lado direito se encarrega do contexto dessa história.

Em seu livro *A Mente Certa*, Robert Ornstein nos diz: "A visão geral do hemisfério direito pode incluir a compreensão do objetivo de uma discussão; a compreensão das associações necessárias para entender uma piada; a reunião de expressão facial, tom de voz e informação textual para entender o que a outra pessoa quer dizer; ou criatividade e gosto pela literatura." Assim, quando ocorrem distúrbios nesse hemisfério, a visão global do indivíduo também será alterada, chegando, em alguns casos, a abalar profundamente os alicerces de sua vida mental. Quando ocorrem lesões (acidentes, isquemia por falta de circulação sanguínea, traumatismos cerebrais etc.) no hemisfério direito, a capacidade de inferir, de entender com rapidez e de atualizar o entendimento de uma situação, de compreender o que se passa ao redor e o que se deve fazer é alterada, podendo ocasionar graves modificações no raciocínio.

Por outro lado, caso haja um excesso de ativação do hemisfério direito, ocorrerá toda uma exacerbação dos processos citados acima. Isso pode ser exatamente o que ocorre com os cérebros TDAs. Seguindo essa linha hipotética, observamos que, por terem uma visão contextual (global) exacerbada, os TDAs teriam toda uma gama de pensamentos alternativos que os levariam a ver a vida sob um novo foco, criando, assim, o terreno ideal para o exercício da criatividade. É como imaginar o mundo sob uma visão míope. Tiram-se os óculos, e tudo muda de foco. Talvez tenha sido assim que pintores impressionistas, como Monet, revolucionaram o mundo da pintura colocando-a sob uma nova ótica de traços, cores e sentimentos.

Cabe aqui uma pequena observação sobre o sistema educacional que, no Ocidente, carece de uma abordagem contextual. O mais clássico exemplo dessa abordagem é o ensino de matemática. Grande parte da informação fornecida nessa disciplina é totalmente desconectada do contexto de nossas vidas cotidianas. Quando não há tal conexão, a informação aprendida perde-se rapidamente, tornando-se apenas uma memorização temporária e inútil. Esse fato não ocorre apenas na matemática, mas praticamente em todas as disciplinas do currículo estudantil. Tal explicação pode levar à compreensão do fato de mentes TDAs brilhantes terem apresentado uma vida acadêmica no limiar da mediocridade.

Lobo frontal: o portal da mente

Quando eu era criança, ouvia os adultos dizerem que São Pedro era o porteiro do céu. Ficava horas imaginando aquele senhor alto de barbas brancas que olhava para cada um de nós por algum tempo e, logo após, emitia seu veredicto: "Vais para o céu" ou "Vais para o inferno". Muitas vezes tentava descobrir o que São Pedro pensava sobre meu comportamento. Afinal, tem que se ir para algum lugar um dia, e é óbvio que eu queria seu "carimbo" de visto liberando meu acesso ao céu. Sonhei várias vezes acordada com o velho barbudo e seu sorriso largo abrindo a porta do paraíso. Isso me fazia sentir muito bem.

Já se vão muitos anos, mas confesso que aquela imagem sempre me vem à cabeça em momentos de decisão. Sorrio e tenho saudades do tempo em que São Pedro me ajudava a organizar todo o meu aparato mental na busca de soluções que acalmariam meu coração.

No entanto, o que isso tudo tem a ver com os TDAs e seu complexo comportamento?

Através dos anos fui desenvolvendo um interesse quase obsessivo pelo comportamento humano e acabei por me deparar com o lobo frontal. Este foi considerado uma região cerebral sem muita importância no passado, chegando mesmo a receber denominações depreciativas como o "lobo do nada". Isso porque lesões ocorridas em seu interior não se manifestavam em perdas corporais visíveis. Lesões no lobo frontal frequentemente não eram acompanhadas de perdas motoras (paralisias ou hemiplegias), que tanto chamavam a atenção nos pacientes que sofriam lesões no lobo parietal.

Hoje, no entanto, a história começa a mudar de maneira radical. O interesse pelo lobo frontal nunca foi tão grande como agora, e tudo isso porque pesquisas o apontam como a "estrela" maior do comportamento humano. Tento conter o entusiasmo que as revelações de estudos sobre ele têm me causado. Arrisco dizer que o lobo frontal é o portal da mente humana e, como tal, é o grande maestro do comportamento de cada um de nós. O São Pedro do universo mental, caso eu queira dar uma satisfação ao meu universo infantil.

Primeiramente, é importante entender que a mente é algo muito maior e mais complexo que a estrutura cerebral em si. A mente é constituída por um imenso "banco de imagens" distribuídas por todo o cérebro. Explicaremos melhor: um organismo só é detentor de uma mente quando possui a capacidade de gerar imagens internas e de utilizá-las de maneira organizada para a formação dos pensamentos. Os pensamentos, por sua vez, têm a capacidade de se unir na busca de um objetivo comum. Daí se obterá, então, um raciocínio que passará por um processo de seleção, cujo resultado será uma tomada de decisão refletida em um comportamento.

Ter comportamentos ou ações inteligentes não significa ter mente. Somente os organismos que apresentam o processamento cognitivo (baseado na capacidade de pensar) possuem uma mente.

É importante frisar que mesmo os pensamentos relativos a palavras ou outros símbolos (como notas musicais) também se constituem em imagens representativas, uma vez que palavras, frases, textos e sons existem sob a forma de imagens em nossa mente.

As ações individuais e sociais terão sempre como objetivo a sobrevivência, seja ela no plano literal (vida e morte), seja no metafórico (aspecto emocional). Sempre estamos buscando tomar decisões que possam ser benéficas a cada um de nós individualmente. Para isso, é necessário um imenso repertório de conhecimento sobre o mundo externo e sobre o que acontece em nosso mundo interno (nosso corpo e cérebro). Esse conhecimento vem do processamento organizado das imagens mentais. No entanto, o cérebro humano retém todo o seu conhecimento de forma fragmentada, isto é, as diversas partes que compõem o conhecimento encontram-se espacialmente distribuídas em várias áreas do cérebro. Assim, para que a engrenagem do raciocínio e a tomada de ações funcionem a contento, é necessário que a atenção e a memória selecionem e armazenem informações para que o conhecimento adquirido, na forma de imagens, seja utilizado ao longo do tempo e possa auxiliar na previsão de fatos futuros e no planejamento de ações a partir dessas suposições.

Outro aspecto fundamental na tomada de decisões nos seres humanos é a participação das emoções e dos sentimentos nesse processo. As emoções despertam reações físicas em todo o corpo (taquicardia, reações viscerais, contração muscular etc.) que são transmitidas ao cérebro e levam à elaboração de imagens mentais na forma de sentimentos. Esses sentimentos elaborados no cérebro poderão despertar boas ou más lembranças, que resultarão em reações específicas em cada ser humano, frente a uma determinada situação.

As emoções desencadeiam, assim, reações instintivas vindas do corpo e reações cognitivas no cérebro, através do sentimento que nada mais é do que o pensamento em forma de imagem, iniciado no processo emocional. Assim deve ser considerada a enorme influência que as emoções exercem sobre o comportamento humano.

Por conseguinte, podemos afirmar que as ações humanas são fortemente influenciadas tanto pelas emoções quanto pela razão.

Lobo frontal: emoção e razão

O lobo frontal apresenta-se como uma região muito especial na modulação do comportamento humano, isto porque nessa área cruzam-se sistemas neurais responsáveis pela razão e pela emoção.

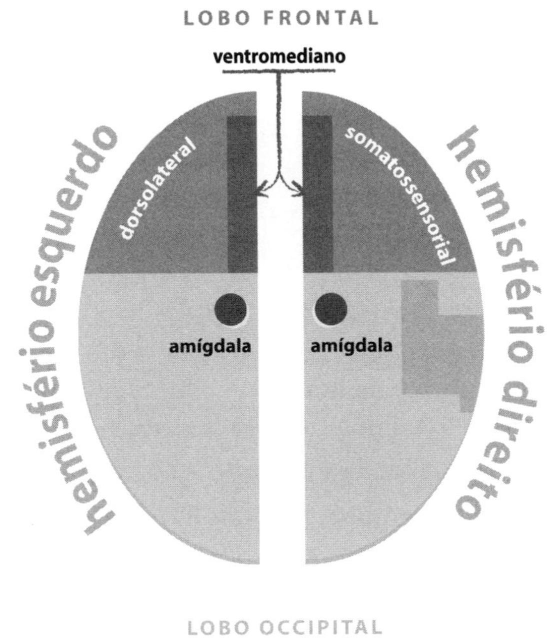

Segundo estudos realizados por António R. Damásio (Universidade de Iowa), haveria três regiões no lobo frontal que estariam comprometidas direta e indiretamente com o processo de raciocínio, tomada de decisões, emoções e sentimentos. A região frontal ventromediana, quando danificada, alteraria tanto o raciocínio para tomadas de decisão quanto as emoções e os sentimentos, especialmente nos campos social e pessoal. Nessa região ocorreria, então, um cruzamento entre razão e emoção.

A região somatossensorial, localizada no hemisfério direito, quando danificada, comprometeria também o raciocínio e tomada de decisões, e as emoções e os sentimentos. No entanto, algo mais se altera com o dano dessa região: os processos de sinalização básica do corpo (os sinais vindos do nosso corpo, como taquicardia, tremores, sudorese, contração muscular etc.).

E, por fim, a região dorsolateral, cujo dano também irá acarretar comprometimento do raciocínio e tomada de decisões, sendo, no entanto, de outra forma. A alteração observada com o dano dessa área seria um comprometimento de operações cognitivas gerais ou específicas (fala, números, objetos ou espaço).

No caso específico do TDA, as duas primeiras regiões exercem uma influência maior. Discorreremos um pouco mais detalhadamente sobre elas.

Se considerarmos o lobo frontal direito como a região de maior interesse no funcionamento TDA, veremos que essa área recebe, na sua parte chamada ventromediana, sinais vindos do cérebro de conteúdos racionais (pensamentos) e sentimentais (parte racional das emoções), e na sua parte chamada somatossensorial, conteúdo emocional (instintivo) vindo dos sinais corporais.

Se partirmos da hipótese de que o lobo frontal direito é hipofuncionante nos TDAs, poderemos considerar as seguintes situações:

1. A quantidade de pensamentos e sentimentos vindos das diversas áreas cerebrais chega em maior número e com maior intensidade nessa região, em função de a ação filtrante (moduladora) do lobo frontal direito estar diminuída. Assim, tem-se o cognitivo e o emocional exacerbados na tomada de decisões dos TDAs.

2. Os processos cognitivos aumentados criam um leque maior de possibilidades de raciocínio que pode ser responsável pelo grande potencial criativo dos TDAs. Com isso, ampliam-se as possibilidades de soluções para um determinado problema.

3. Os processos emocionais aumentados podem constituir-se em um fator favorável para a tomada de decisões, apesar de existir uma crença predominante sobre o fato de as emoções atrapalharem na tomada de decisões acertadas. A influência positiva das emoções nas ações dos TDAs pode se dar, a nosso ver, de três maneiras:

3.1. No processo imaginativo "como se". Ao imaginar situações não existentes de fato, os TDAs ativam todo um processo no lobo frontal que conduzirá a um conhecimento "virtual" ou "simulado", que poderá ser útil em situações reais futuras.

3.2. No uso da intuição. Muitas vezes, a atenção dos TDAs desperta emoções e sentimentos sem que eles tenham consciência disto. Por isso, repetimos que o termo deficit de atenção é, no mínimo, impróprio. Os TDAs são capazes de atentar para várias coisas ao mesmo tempo, mas só se dão conta disso quando fazem uma hiperconcentração, que chamamos de hiperfoco. Os sinais vindos dessa atenção dispersa dos TDAs são registrados pelo corpo e cérebro e acabam por constituir uma influência oculta (na forma de memória inconsciente) nas ações dos TDAs. Essa influência pode manifestar-se de forma atrativa ou aversiva. Nesse sentido, muitas decisões intuitivas dos TDAs podem conduzi-los por caminhos certos ou afastá-los de caminhos errados sem que tenham controle consciente desses fatos. Hoje, sabemos que a capacidade de tomar decisões intuitivas é um ingrediente essencial no processo da criatividade humana.

Einstein se constitui em um exemplo típico dessas duas características TDA ("como se" e intuição). Certa vez ele chegou a afirmar: "Meu sucesso se deve muito mais à minha imaginação e à minha intuição do que ao meu conhecimento técnico."

3.3. E, por fim, observa-se que as emoções positivas na forma de paixão podem levar os TDAs a uma hiperconcentração instintiva (hiperfoco) sobre determinado conhecimento. E é justamente esta capacidade de hiperfoco que cria no TDA a persistência necessária para que sua criatividade se expresse em criação.

Como se constata, razão e emoção exacerbadas no lobo frontal direito dos TDAs podem constituir o grande diferencial positivo desses indivíduos no exercício de sua capacidade criativa original.

Eu dou a volta, pulo o muro/
Mergulho no escuro/
Sarto de banda/
Na minha vida ninguém manda não/
Eu vou além desse sonho...

"De Repente, Califórnia"
(Lulu Santos e Nelson Motta)

CAPÍTULO 6

Por Onde o Impulso me Levar...

OS DESBRAVADORES, OS ACIONISTAS, OS ARTÍSTICOS E OS PERFORMÁTICOS...

Existem três tipos básicos de TDAs: 1) TDAs predominantemente hiperativos e impulsivos; 2) TDAs com desatenção predominante; 3) TDAs combinados (desatenção e hiperatividade/impulsividade). Ao longo dos anos, outras incontáveis distinções não oficiais foram feitas com o intuito de entender variações pessoais dentro deste vasto universo formado por milhares de pessoas que apresentam o comportamento TDA.

Quando nos veio à mente a possibilidade de criar mais uma classificação para as pessoas com TDA, tivemos receio de estar contribuindo para que mais rótulos fossem incorporados à vida desses indivíduos. O problema com os rótulos é que, na maioria das vezes, eles tendem a simplificar toda a complexidade existente nos comportamentos humanos.

Em um esforço explícito para entendermos a maneira pela qual os impulsos dos TDAs podem influenciar na descoberta de seu talento essencial e na maneira pela qual podem chegar a uma produtividade pessoal, por meio de sua correta utilização, permitimo-nos subdividir este grande grupo em quatro subtipos, segundo suas variações impulso-vocacionais.

Como em toda classificação existente, as pessoas poderão encontrar simultaneidade e permutabilidade entre os subtipos apresentados. Por isso, deve-se optar pela avaliação das principais características em um dado momento na vida de um TDA. Assim, apresentaremos os subtipos da nossa classificação:

Classificação Impulso-Vocacional:

- Subtipo Desbravador

- Subtipo Acionista
- Subtipo Artístico
- Subtipo Performático

Ao final da descrição de cada subtipo, teceremos alguns comentários sobre as possíveis ações que devem ser adotadas com o objetivo de estabelecer o caminho mais curto e eficaz entre o impulso criativo de um TDA e a sua materialização na forma de descobertas, ações audaciosas, obras artísticas ou representações artísticas.

Devemos salientar que, a nosso ver, todos os TDAs possuem, em maior ou menor intensidade, um impulso criativo em função da maneira diferenciada através da qual veem o mundo. E, como já visto, o impulso acaba por selecionar a área na qual a criatividade irá se manifestar. Foi a partir daí que pudemos identificar os subtipos citados.

Mais que uma nova classificação, a descrição desses subtipos tem o objetivo principal de estabelecer a orientação e o direcionamento produtivo de todo o processo.

O Desbravador

Sem dúvida, a característica mais marcante deste subtipo é a sua capacidade de abandonar velhos hábitos e abrir novos caminhos. O impulso criativo se localiza na busca mental incessante por novas ideias, projetos, descobertas, invenções e empreendimentos. Os desbravadores estão sempre centrados no que está por vir. Para eles, o melhor da festa não está nos preparativos nem na festa em si, e sim na próxima, que já "fervilha" em sua mente.

Talvez tenham sido os ventos impulsivos da busca que conduziram os grandes navegadores rumo ao Novo Mundo. Nesse sentido, a América é o exemplo ideal de uma descoberta visionária que teve seu início nas mentes férteis de homens TDAs, que materializaram produtivamente seus impulsos num encontro real e previamente imaginado.

O TDA desbravador é uma pessoa com muita energia mental e que possui um grande poder de idealizar novos caminhos e possibilidades. Entre eles encontram-se grandes arquitetos, cientistas, engenheiros, físicos, médicos e muitos outros profissionais envolvidos na incessante busca de novas e futuras perspectivas.

O grande problema para esses desbravadores é o fato de tenderem a uma insatisfação constante. Para eles há sempre algo mais interessante na próxima curva da estrada. Por isso mesmo acabam, com frequência, desviando-se de seus propósitos originais antes que possam ser concluídos.

Em função disso, o desbravador deve sempre ter em mente as seguintes dicas:

1. Suas ideias precisam se materializar, sob pena de não cumprirem sua função.

Com esse objetivo, tente dividir seu projeto inicial em etapas, isso irá ajudá-lo no árduo processo de conclusão. Pense também na possibilidade de contar com a ajuda de outras pessoas que podem não ser tão boas em ter grandes ideias, mas que sejam bastante eficazes em concluí-las.

2. Tente relaxar de vez em quando e aproveite esses momentos para analisar o que já construiu.

Buscar sempre é emocionante, mas pode criar uma desagradável sensação de que ainda há muito caminho a percorrer. Por isso mesmo, o desânimo pode tomar conta de você. Pare, veja tudo o que você já realizou, orgulhe-se disso e continue sua construção, evitando entrar no ciclo contínuo de reinventar-se o tempo todo.

O Acionista

Ação! Esta é a palavra de ordem de um acionista. Seu impulso criativo está localizado no ato de agir todo o tempo, e grande parte de sua energia está colocada em seu corpo, que reluta de forma implacável contra qualquer tipo de inércia. Diferentemente do desbravador, o acionista vive fixado nos detalhes existentes no caminho da conclusão.

Neste subtipo encontram-se os profissionais *workaholics*, os desportistas obcecados por sua autossuperação e os apaixonados em correr riscos, principalmente físicos, na vida cotidiana.

O acionista vive hiperfocado em agir dentro da área de atuação que seu impulso elegeu. Quando esse hiperfoco é exercido na forma de uma atividade laborativa, tende a ter uma grande aceitação social, uma vez que seu funcionamento costuma ser associado a níveis de produtividade fora do comum.

Isso pode gerar uma ideia errônea sobre a capacidade produtiva dos demais TDAs.

O viciado em trabalho (*workaholic*) é tão obcecado em agir no trabalho que ele pode, na verdade, estender suas tarefas, retardando a conclusão das mesmas. Além disso, tende a atrofiar todos os demais setores de sua vida (pessoal, afetiva, social e familiar), o que pode lhe render muita culpa e remorso.

Por isso, o acionista não deve se esquecer de:

1. Administrar melhor seus horários no trabalho de maneira a produzir mais com menos tempo e gasto energético.

Tente ser menos controlador. Ao trabalhar em equipe, deixe que cada um assuma suas responsabilidades. Fazer diferente não significa fazer pior, o importante é o resultado final do trabalho. Dessa maneira, é possível dividir o sucesso e também o fracasso, o que ajuda muito a lidar com as situações difíceis.

Lembre-se: "Sonho que se sonha só é só um sonho. Sonho que se sonha junto é realidade."

2. Impor-se limites.

Reserve tempo em sua agenda para o lazer, a família e os amigos. Faça disso um compromisso e cumpra-o com o mesmo empenho dedicado a seu trabalho.

3. Todo excesso tem consequências.

Se você é um *workaholic*, pense na falta de identidade que poderá vivenciar, quando seu trabalho acabar ou for interrompido por alguma razão.

Se você é um desportista profissional, lembre-se de que sua vida é muito mais longa que sua carreira. Reflita no que fazer após esse período, pois sua identidade pessoal não pode terminar com o declínio da pujança física.

Se você gosta de viver perigosamente, envolvendo-se em situações de grande risco, lembre-se de que viver bem é viver com saúde e liberdade de ir e vir. Você pode ter sua vida abreviada por um acidente ou viver muitos anos com o desconforto de alguma sequela física ou mental (como paralisia, grandes queimaduras, falta de sensibilidade, depressões, dores crônicas etc.).

O Artístico

O TDA artístico é aquele cujo impulso criativo estará concentrado em seus sentimentos e sensações. A expressão ou a transmissão desses sentimentos e sensações ganhará caráter de concretude na obra de arte manifestada nas mais diversas maneiras: música, pintura, escultura, poesia, dramaturgia, entre outras.

Por serem hiperfocados em seus sentimentos, tendem a vivenciá-los de forma bem intensa, o que pode exacerbar a instabilidade de humor tão típica de todos os TDAs. O artístico apresenta grande dificuldade em estabelecer relações de intimidade com as pessoas, em função do medo gerado pelos sentimentos despertados nesse tipo de relação. Escondem o seu eu mais íntimo nas vivências cotidianas e, tal qual uma roupa de camuflagem, se expressam externamente nas obras de arte que produzem.

Se você é um TDA artístico, lembre-se:

1. A vida é intensa, mas não "engole criancinhas".

Tente ter em mente que seus sentimentos e sensações funcionam acima da média; assim, em momentos difíceis, sofra. Mas não se desespere, pois tudo passa. Sentimentos intensos são o seu meio de criar e não de ser infeliz.

2. Intimidade requer sinceridade.

Para ficarmos íntimos de alguém temos que estar capacitados a ser nós mesmos; só assim será possível confiar no amor dos outros. Logo, mostrando-se como você é, ao ser amado, o será de verdade. Isso gera autoconfiança e condição de enfrentar os eventuais problemas surgidos em uma relação afetiva.

3. Atrás de sua obra está você.

Você é a sua arte também. Existe dentro de você a capacidade infinita de gerar muitas outras obras de arte. Afinal, a fonte destas é a sua essência mais verdadeira. Valorize-se.

O Performático

Na realidade, o performático é uma variação do artístico, uma vez que seus inúmeros personagens não deixam de ser uma expressão de seus sentimentos mais íntimos.

A diferença básica e sutil entre o artístico e o performático está na maneira e na finalidade com que este último utiliza seus diversos personagens. Em geral, são vários, simultâneos, e todos acabam participando do cotidiano dessas pessoas. Dessa maneira, acabam por expressar facetas do seu complexo comportamento. Na maioria das vezes essa atuação visa agradar ou distrair os outros, ou ainda encobrir algo que o performático julga estar faltando ou incapacitando-o em determinadas situações.

O performático tende a falar muito em público, dominando conversas com seu humor refinado e requintado. É muito divertido estar perto deles, com suas reações rápidas e pensamentos surpreendentes, transformando situações embaraçosas em momentos de diversão contagiante.

Sua habilidade de performance (capacidade de atuar) não só cria saídas brilhantes para situações escabrosas, como também costuma compensar dificuldades sociais e encobrir uma baixa autoestima.

Por isso mesmo, apresentam-se muito bem na frente de plateias ou mesmo multidões, no entanto mostram-se bastante embaraçados em situações íntimas do tipo "cara a cara" afetivo.

Nesse subtipo de TDA encontram-se os grandes comediantes do circo, cinema, televisão e teatro. Todos apresentam em comum o grande glamour de contagiar multidões, fazendo rir ou chorar. Por outro lado, é comum que se apresentem tímidos e recatados em situações de intimidade pessoal.

Se você é um performático, não se esqueça:

1. Desencadear emoções nas pessoas é um talento especial.

Orgulhe-se disso e tente se organizar para fazer desse dom algo não somente bom para os outros, mas para você também.

Utilize seu talento para proporcionar alívio emocional àqueles que precisam disso e o procuram. Você é realmente bom nisso.

Evite utilizá-lo para encobrir suas fragilidades ou simplesmente ser aprovado pelos outros. Aceite seus pontos fracos, só assim aprenderá a lidar com eles sem desviar o rumo certo de seu talento.

2. Pergunte a si mesmo o porquê de suas várias performances.

Isso será fundamental para o seu autoconhecimento e aprendizado em direção à utilização apropriada de seu dom e a consequente melhoria de sua autoestima advinda dessa nova visão de si mesmo: você é possuidor de um talento especial que o capacita a ajudar milhares de pessoas e não um inseguro disfarçado de vários personagens em fuga constante.

3. Reserve momentos de intimidade com você mesmo ou com alguém especial.

Fazer um show é muito bom, mas viver "no palco" é muito exaustivo e solitário. Procure alguém com quem você possa se abrir e exercitar a difícil arte de ser feliz, sendo você mesmo.

Gente, espelho de estrelas, reflexo do esplendor/
Se as estrelas são tantas, só mesmo amor

"Gente"
(Caetano Veloso)

CAPÍTULO 7

Personalidades com Suposto Funcionamento TDA

DE EINSTEIN A MARLON BRANDO: UM MUSEU DE GRANDES NOVIDADES...

"Um museu de grandes novidades." Essa metáfora de Cazuza é a porta de entrada deste capítulo. Durante sua leitura, lembre-se do seguinte: em momento algum afirmamos que pessoas que se destacaram em diversos ramos das atividades humanas são TDAs, mas sim que apresentaram comportamento com características bastante sugestivas de um funcionamento mental TDA. Como se suas vidas, tornadas públicas, pudessem suscitar a formação de um determinado tipo de "personagem fictício" com perfil de TDA típico.

A escolha desses "personagens" conhecidos teve como objetivo facilitar a compreensão do TDA, pois a quantidade de informação sobre a vida das personalidades citadas é bastante ampla e viabilizou a caracterização do comportamento TDA.

Albert Einstein — *"Uma intuição nada relativa."*

Quem não conhece aquele retrato do velhinho com a língua para fora? Einstein é sinônimo de genialidade, irreverência e simpatia.

Desde cedo se rebelou contra o tradicional sistema educacional. Questionava muito os dogmas e detestava ter que decorar matérias. Porém, mais tarde, Einstein apresentou um sintoma que frequentemente é encontrado no comportamento TDA: o da hiperconcentração. Passava horas, às vezes dias, concentrado em um problema. Entretanto, isso somente acontecia com temas de seu interesse. Sua aguçada intuição sugeria que sua mente inquieta fizesse inúmeros registros inconscientes dos acontecimentos cotidianos, que acabavam por conduzir seus estudos por caminhos inesperados, porém sempre assertivos. Sua descoberta mais significativa, a Teoria da Relatividade, foi elaborada de forma intuitiva, quando era ainda bastante jovem. Posteriormente, ele e outros cientistas comprovaram a veracidade da fortuita descoberta.

Einstein tinha um perfil visionário nato. Possuía uma habilidade incomum para visualizar os fenômenos que se tornavam foco do seu interesse. Sobre esse aspecto peculiar, temos as seguintes afirmações:

> *Quando me examino e a meus métodos de pensamento, chego à conclusão de que o dom da fantasia significou muito mais para mim do que meu talento para absorver conhecimento positivo.*
>
> *Os homens ainda vão levar muito tempo para perceber que pessoas como Gandhi serão presenças raras na história da humanidade.*
>
> *A bomba atômica não é a pior de todas as bombas. A maior delas ainda está por vir, e será acionada pela desintegração das relações humanas, que irá ocorrer no futuro.*

Ao explicar como chegou à Teoria da Relatividade, o brilhante cientista deu o seguinte depoimento:

> *Como foi que aconteceu que tenha sido eu a pessoa a desenvolver a Teoria da Relatividade? A razão, penso eu, é que um adulto normal nunca para para pensar sobre problemas de espaço e tempo. Essas são coisas nas quais ele pensou quando criança. Mas o meu desenvolvimento intelectual foi retardado, como resultado de eu ter começado a me perguntar sobre espaço e tempo somente quando já tinha crescido. Naturalmente, eu pude ir mais fundo no problema do que uma criança com capacidades normais.*

Impaciente e inquieto, desprezava aqueles que tinham medo de quebrar protocolos e conceitos tradicionais: "Eu não tenho paciência com cientistas que pegam uma tábua de madeira, procuram sua parte mais fina e a perfuram onde é mais fácil, fazendo muitos buracos."

Polêmico, amado, odiado, invejado... Uma das figuras mais importantes do século XX, Einstein, o velhinho simpático das caretas e da alegria, foi uma eterna criança que soube transformar a ilimitada imaginação infantil em uma grande contribuição para toda a humanidade.

Fernando Pessoa — *"Um navegador de várias almas."*

Nascido em Lisboa, no dia 13 de junho de 1888, Fernando Pessoa sinaliza em sua obra traços de uma mente com funcionamento TDA: inquietação, contradição, desorganização, devaneios, hiperconcentração, criatividade, intolerância ao tédio, dificuldade em seguir regras...

Criou vários "eus", os famosos heterônimos, para descrever o mundo sob diversos ângulos: "Criei em mim várias personalidades. Crio personalidades constantemente. Cada sonho meu é imediatamente, logo ao aparecer sonhado, encarnado numa outra pessoa, que passa a sonhá-lo, e eu não."

Ao ler sua obra, observamos exemplos indicativos de um comportamento TDA. Como no poema "Liberdade", no qual fustiga o tédio e desafia conceitos estabelecidos:

Ai, que prazer
Não cumprir um dever,
Ter um livro para ler
E não o fazer!
Ler é maçada.
Estudar é nada.
O sol doira
Sem literatura.

O rio corre bem ou mal,
Sem edição original.
E a brisa, essa,

De tão naturalmente matinal,
Como tem tempo não tem pressa...

Livros são papéis pintados com tinta.
Estudar é uma coisa em que está indistinta
A distinção entre nada e coisa nenhuma.

Quanto é melhor, quando há bruma,
Esperar por D. Sebastião,
Quer venha ou não!

Grande é a poesia, a bondade e as danças...
Mas o melhor do mundo são as crianças,
Flores, música, o luar, e o sol, que peca
Só quando, em vez de criar, seca.

E mais do que isto
É Jesus Cristo,
Que não sabia nada de finanças
Nem consta que tivesse biblioteca...

A contradição, a visão imprecisa sobre si mesmo e a baixa autoestima também aparecem de maneira clara no poema "Tabacaria", do heterônimo Álvaro de Campos. Um momento de inspiração de Fernando Pessoa, que se autodenominava o "Poeta da Natureza":

Não sou nada.
Nunca serei nada.
Não posso querer ser nada.
À parte isso, tenho em mim todos os sonhos do mundo.
(...)

O poeta oscilava entre a tristeza e a alegria em curtos espaços de tempo, indicando ser uma personalidade inquieta e de humor instável. Embora muitos o acusem de ser um poeta melancólico e pessimista, a esperança e o desejo de melhorar as pessoas também aparecem em sua obra, como no poema "Para ser grande", de um dos seus mais importantes heterônimos, Ricardo Reis:

> Para ser grande, sê inteiro: nada
> Teu exagera ou exclui.
> Sê todo em cada coisa. Põe quanto és
> No mínimo que fazes.
> Assim em cada lago a lua toda
> Brilha, porque alta vive.

Henry Ford — *"Um desbravador abrindo a estrada do futuro."*

Henry Ford é considerado o pai da indústria automobilística. Nasceu em 1863 e faleceu em 1947, aos 83 anos. Foi o homem que revolucionou o método de produção das empresas com a chamada linha de montagem em série. Esta consistia em organizar as pessoas no sistema de produção em tarefas especializadas e repetitivas, de forma a economizar tempo na fabricação de seus automóveis. Esse método poupava quase metade do tempo de produção, o que permitiu à Ford pagar 5 dólares por hora a seus trabalhadores em vez de 3 dólares, como era comum na época.

Rompeu com as concepções do seu tempo, mergulhou fundo no projeto de construir "carros para todos" e fez grande parte do mundo adotar esse meio de locomoção.

> *Vocês, meus seguidores, e outros que observam a minha mensagem verão que no futuro o sistema de produção não será como foi até hoje. Não será um sistema de destruição maciça, mas um sistema de produção maciça.*

"Crescei e multiplicai-vos." Esta frase bíblica era um dos argumentos que usava para defender sua teoria da produção maciça.

Sua inquietação contra o velho sistema fez com que, posteriormente, voltasse a romper com as regras do mercado ao aumentar os salários dos seus empregados e diminuir a carga de trabalho. Com essa medida, Ford conseguiu melhorar a produção e conquistar seus funcionários, fazendo com que "vestissem a camisa" da empresa.

Ford, que sempre sofreu ataques da sociedade da época, respondeu com uma surpreendente frase a uma crítica aos seus modelos: "O consumidor pode escolher a cor que ele quiser para seu carro, desde que seja preto."

Porém, mais tarde, após a Primeira Guerra Mundial e a consequente crise, Ford lançou novos modelos com outras cores, mudando a própria norma.

Um provável TDA desbravador que deu uma carona para o desenvolvimento da humanidade.

James Dean — "*Um astro em velocidade máxima.*"

Nasceu em Marion, Estados Unidos, no dia 8 de fevereiro de 1931.

É, até hoje, um dos grandes mitos do cinema americano e mundial. Sua curta existência foi intensa e marcante. Foi o grande rebelde da juventude dos anos 50. Sua permanente inquietação e atração impulsiva em correr riscos sugerem um comportamento TDA com perfil acionista. Tal qual Ayrton Senna, James Dean estabeleceu um hiperfoco em sua vida: viver sempre no limite.

Morreu aos 24 anos, dirigindo seu Porsche em alta velocidade, justamente quando ia participar de uma corrida de carros. Curiosamente, em um de seus filmes, aposta corrida com outro personagem que morre acidentado. A vida imitou a arte, mas substituiu a vítima.

James Dean fez "pontas" em várias produções antes de ser o protagonista dos seus três únicos filmes.

Juventude Transviada (*Rebel without a cause*) é um marco do cinema e influenciou o comportamento dos jovens em todo o mundo.

James foi uma pessoa agitada, avessa às normas e convenções, e extremamente impulsiva. Um talento desperdiçado pela atração incontrolável por desafiar a morte para se sentir vivo e forte.

Leonardo da Vinci — *"Imaginação sem fronteiras."*

Da Vinci nasceu em 15 de abril de 1452. Para muitos, é o maior gênio de todos os tempos. Uma mente movida por uma inquietação inacreditavelmente desbravadora.

Além de grande mestre da pintura, foi também arquiteto, botânico, urbanista, cenógrafo, cozinheiro, inventor, geógrafo, físico e até músico. Da Vinci deixou uma infinidade de obras inacabadas, pois começava vários projetos ao mesmo tempo, uma característica bem comum em mentes com funcionamento TDA. Muitos o julgavam fracassado por deixar tantas obras incompletas.

Leonardo ia para feiras de animais, comprava muitos passarinhos só para libertá-los em seguida. A liberdade era o alicerce de sua criação. Grande era sua sensibilidade. Dizia: "Quanto maior a sensibilidade, maior o sofrimento... Muito sofrimento."

Tinha uma percepção apurada do mundo e dos acontecimentos e uma maneira diferente de ver as coisas, uma das características das mentes com funcionamento TDA. Leonardo da Vinci dizia: "Muitos veem, mas não enxergam."

Marlon Brando — *"Luz, câmera e emoção."*

No dia 3 de abril de 1924, Marlon Brando nasceu em Omaha, pequena cidade americana. Filho de pais alcoólicos, foi criado sob rígidos padrões que o levaram à Academia Militar de Shattuck. Marlon se rebelou contra as severas regras, os movimentos padronizados e o tédio daquele lugar. "Aprontou" tanto na Academia que foi expulso por indisciplina. Na hora da despedida, ouviu a seguinte frase do seu melhor amigo, Duke: "Não se incomode, Marlon, vai dar tudo certo. Eu sei que o mundo ainda vai ouvir falar de você."

Depois disso, Brando foi para Nova York morar com a irmã. Lá deu seus primeiros passos no teatro, até entrar na famosa peça *Um Bonde Chamado Desejo*, de Tennessee Williams. Nesta época, começou a improvisar as falas dos seus personagens, melhorando o texto original, para assombro e raiva de muitos diretores que trabalharam com ele. Sua intuição, ousadia e capacidade criativa são indícios fortes de uma mente TDA de perfil desbravador e artístico.

Nessa época, recebeu uma visita rápida da mãe. Quando ela partiu, começou a ter crises de ansiedade e depressão. E a explicação é dada pelo próprio Marlon: "Seriam necessários muitos anos para que eu deixasse de aceitar o que me foi ensinado, durante a minha infância: que eu era um inútil." Para livrar-se de tal fardo, procurou fazer análise, mas não obteve resultado.

Marlon sofria de baixa autoestima e, além disso, era compulsivo por sexo. Teve incontáveis mulheres na vida, mas afirmava que não sentia amor por elas, apenas dizia o que queriam ouvir.

Bastante interessante é a reflexão que fez sobre o funcionamento do cérebro humano:

> *Nenhum de nós jamais compreendeu as forças psicológicas que nos motivam, nem conseguimos entender as reações bioquímicas que se passam em nosso cérebro e nos orientam a fazer uma escolha e não outra, a seguir um caminho e rejeitar outros. No entanto, uma coisa é certa: tudo que fazemos é produto dessas reações bioquímicas.*

Depois é a história que todos já conhecem: Marlon Brando fez sucesso em incontáveis filmes e foi o símbolo sexual de uma geração. Uma figura marcante, que se engajou em inúmeras causas sociais, defendendo as minorias, os injustiçados, os negros e os índios. Como ele mesmo disse, tentou melhorar um mundo de guerras, ódios e desamores.

Wolfgang Amadeus Mozart — *"Uma tempestade musical."*

Como disse, no auge do entusiasmo, o compositor Salieri no filme *Amadeus*, que retrata a vida e a obra deste genial compositor, a música de Mozart era como "a voz de Deus".

Com 4 anos, Mozart já compunha e era explorado pelo próprio pai, que via nele um talento extraordinário, mas que acabaria lhe roubando a infância.

Aos 17 anos, Mozart já era dono de 22 composições sacras, 21 sinfonias, 6 quartetos, 18 sonatas para violino e cravo, além de serenatas, divertimentos, danças e uma infinidade de peças menores.

O seu comportamento durante sua curta e brilhante existência apresentou sinais de um TDA com perfil desbravador e artístico. Mozart era inquieto, impulsivo e mostrava-se resistente às normas estabelecidas. Considerava enfadonhas as óperas antigas e por isso inovou com as inesquecíveis *Dom Giovani* e *A Flauta Mágica*.

Sua mente era como uma fonte a jorrar sons de raras combinações harmônicas. Sua organização era praticamente inexistente, o que não o impediu de criar algumas das mais belas composições da música clássica.

Vivia em dificuldades financeiras, bebendo muito e com a saúde debilitada. Além disso, sofreu com a perda prematura de vários dos seus filhos.

Certa vez perguntaram a Mozart como se dava o seu processo criativo, e ele respondeu:

Como é que eu trabalho e como executo grandes composições musicais? Não posso na realidade lhe dizer senão isso: quando me sinto bem-disposto, seja em carruagem quando viajo, seja de noite quando durmo, acodem-me ideias aos jorros, soberbamente. Como e donde, eu não sei...

Ludwig van Beethoven — *"O maestro que transformou o silêncio em música."*

Sexto filho de uma família de cinco irmãos deficientes, Beethoven teve um início de vida muito parecido com o de Mozart: também foi explorado pelo pai, que o julgava um virtuose e forçava-o a estudar música. Porém, Beethoven tocou timidamente diante dos "nobres" e foi considerado uma farsa. Seu professor de composição, Albrechtsberger, dizia que era um indisciplinado e nunca aprenderia nada de música. Dizia que Beethoven era um caso perdido como compositor. O tempo passou e o genial maestro, inquieto, polêmico e incompreendido — semelhante a uma mente com funcionamento TDA —, presenteou o mundo com seu talento.

Frequentemente Beethoven era acometido de devaneios e distrações, como seus amigos afirmavam. Mais um indício de um possível comportamento TDA.

Foi um homem de várias paixões, como mostrado no filme *Minha Amada Imortal*. "Pour Elise" é um hino romântico da música clássica. Qualquer ouvido dotado de sensibilidade mergulha nessa "viagem" fantástica de poesia em forma de música.

Enfrentando problemas de surdez, chegou a ser considerado acabado. Melancólico e deprimido, pensou até mesmo em suicídio, mas desistiu e disse o porquê em uma carta: "Foi a arte, e apenas ela, que me reteve. Aaah! Parecia-me impossível deixar o mundo antes de ter dado tudo o que ainda germinava em mim."

Produziu obras geniais mesmo sem escutá-las. Elas brotavam de sua mente irrequieta, imune a sua surdez.

Beethoven viveu até o seu último dia conversando com o silêncio, enquanto a plateia escutava perplexa sua música imortal.

Meu fumo e minha ioga/
Você é minha droga/
Paixão e carnaval/
Meu zen, meu bem, meu mal

"Meu Bem, Meu Mal"
(Caetano Veloso)

CAPÍTULO 8

TDA e Outros Transtornos

DESENVOLVENDO QUADROS ASSOCIADOS: AS PARCERIAS NADA RECOMENDÁVEIS...

Fazia um lindo pôr do sol lá fora, era final de tarde e lá estávamos eu e um grupo de pessoas que passava pelos mesmos problemas, e por mais outros diferentes. Reuníamo-nos todas as semanas e nos sentíamos muito bem quando isso acontecia. Como era bom poder ouvir as pessoas relatarem problemas tão semelhantes aos meus. Você se sente menos anormal, menos inadequado, e, aos poucos, vai se livrando da incômoda sensação de ser "um estranho no ninho". Fazíamos terapia em grupo.

Eu tinha acabado de desabafar sobre coisas pelas quais havia passado. Foram anos de luta contra uma depressão que insistia em se manter escondida pelos cantos de minha mente, e que me atacava pelas costas, quando pensava que já tinha superado. Quase sempre o que me arrastava novamente para o lodo era a borrada impressão que tinha de mim mesmo: eu era um incompetente, um completo incapaz. Enrolava-me todo no trabalho. É claro que eu tinha ótimas ideias, mas para executá-las era um horror... Vez por outra, era repreendido. Brigava em casa com a família porque me esquecia de datas importantes ou de coisas cotidianas, como as contas do mês. E lá ia eu arcar com os juros... Parecia que estava sempre fazendo a coisa errada o tempo inteiro. Então, eu sentava e ruminava: "Será que vai ser sempre assim? Como posso construir um futuro sólido se levo meu presente a passos trôpegos de bêbado? Não sou capaz de dar segurança a meus próprios filhos..." E, novamente, entrava em depressão.

Qual não foi minha surpresa e alívio ao descobrir que todo o meu jeito enrolado de ser não era devido a uma incapacidade básica que eu tinha para lidar com a vida, e sim a algo chamado transtorno do deficit de atenção. E era por isso que ficava tão de-

primido, por não saber o que era aquilo, por achar que jamais teria solução. Agora, compartilho minhas experiências também.

À minha esquerda, ouvia uma jovem contar seu caso. Ela falava...

> *Quando estava entrando na adolescência, comecei a me incomodar demais com aqueles meus esquecimentos, minha desorganização, coisas por fazer que eu nunca fazia, ora porque esquecia, ora porque protelava... Eu estava me enrolando mais e mais porque a cada série os conteúdos se tornavam mais complexos e as responsabilidades bem maiores. Passei a recorrer a agendas, bilhetes e vários meios que me fizessem lembrar de lembrar. E tinha que me forçar a ter tudo organizado. Cada coisa em seu lugar, segundo critérios de tamanho, cor, utilidade, e por aí foi... Mas, com o tempo, estes meus métodos de organização e checagem começaram a tomar uma proporção enorme... eles serviam para me auxiliar, mas aos poucos, insidiosamente, se tornaram centrais em minha vida. Passei a gastar mais e mais horas nesses processos de checagem e arrumação. Recebi o diagnóstico de transtorno obsessivo-compulsivo (TOC) e mais tarde foi descoberto que eu também tinha o TDA. Não sei se estou viajando, mas de repente desenvolvi todos esses rituais de organização para combater minha distração de TDA. Daí, eu sempre dizia uma coisa irônica, meio herética, que deveria ser mudada na Bíblia. Ela deveria começar assim: e no início era o TDA... Se eu tivesse sido diagnosticada antes, talvez pudesse evitar tudo isso. Talvez. Sei que não é algo assim comprovado, mas, quem sabe? Hoje em dia, sei que perdoei a menina bagunçada que fui. E não deveria ter sido tão dura com ela!*

Em seguida falava um rapaz à minha frente. Ele dizia ter sido sempre muito perfeccionista e preocupado com tudo. Também não se perdoava por ser desorganizado e agora estava contando sobre seu primeiro ataque de pânico...

Lá fora, estrelas já cintilavam às primeiras horas de uma noite clara. Quando nos demos conta, a sessão já estava terminando.

As histórias citadas servem para exemplificar que, em grande parte dos casos, o TDA não vem sozinho. Ele pode vir em dupla, em trio e, o que felizmente não é comum, até em bando. O que significa isso? Estamos falando de algo que, em psiquiatria, chama-se comorbidades. Ou seja, um ou mais transtornos psiquiátricos em coexistência com um transtorno primário (de base). Obviamente, isso contribui, em muito, para agravar o quadro, obrigando o médico a atacar em várias frentes. Comumente, esses transtornos "acessórios" (que não são nada opcionais, como os acessórios de um automóvel, por exemplo!) desenvolvem-se secundariamente como consequência do transtorno primário. Isto é, o desconforto e o sofrimento causados por um determinado problema atingem de tal forma a vida de alguém que novos transtornos vêm se somar ao preexistente.

No caso do TDA, a distração, os frequentes esquecimentos, a desorganização, a perene sensação de que algo está errado, a costumeira protelação de tarefas são muito desconfortáveis ao paciente. Estas características típicas podem fazer com que a pessoa TDA desenvolva transtornos associados, como ansiedade generalizada, depressão, pânico, fobias, entre outros.

No entanto, ainda há outros transtornos específicos que "acompanham" o TDA, não porque são consequências dele, mas porque parece haver uma íntima relação em suas origens biológicas. As mesmas alterações bioquímicas e/ou funcionais parecem estar envolvidas em transtornos como o TDA e a dislexia, por exemplo.

Entretanto, neste livro, procuramos esmiuçar somente os transtornos comórbidos mais frequentes e com os quais temos deparado incontáveis vezes, em nossa atuação profissional.

TDA com ansiedade generalizada

A ansiedade generalizada é o transtorno da preocupação interminável e ruminante. Está presente naquelas pessoas que se organizam em torno da antecipação de problemas e ficam sondando o ambiente à caça de perigos e complicações. Tão logo o indivíduo ansioso consiga resolver algo que o aflige, imediatamente parte em busca de outra aflição. É um estado constante de preocupação e alerta, uma ansiedade crônica que leva a pessoa a começar o dia em busca de algum motivo de preocupação desnecessária, não importando se o problema é trivial ou doloroso. Como não consegue relaxar, permanece pairando em um mal-estar indefinível e subjetivo, que, por vezes, se manifesta em variados problemas somáticos (físicos), quase sempre causados por uma sobrecarga de adrenalina imposta ao organismo. Observe o que acontece quando alguém tem, ao mesmo tempo, TDA e Transtorno de Ansiedade Generalizada (TAG).

Imagine aquela TDA distraída, que vive esquecendo suas coisas pelos cantos, inclusive documentos importantes de trabalho. Conhecendo bem esta sua incômoda característica, que já a colocou em várias saias justas, ela se põe em estado de alerta o tempo todo. Fareja o ambiente, mexe e remexe nas gavetas, vasculha constantemente a bolsa. Se, por uma fração de segundo, pensa que algo está faltando ou fora do lugar, imediatamente o coração dispara, a respiração fica ofegante e o sangue parece fugir do rosto. Não era nada de mais outra vez, o memorando que procurava estava ali entre outros papéis da pasta. Mas o estrago já feito e o mal-estar e a tensão poderão acompanhá-la pelo resto do dia.

Bem, pode-se pensar: já que ela é assim tão distraída, talvez seja bom que tenha esse jeito preocupado.

O fato é que muitos TDAs se organizam em torno da própria ansiedade. A ansiedade é, por vezes, tremendamente estruturadora; e estrutura é tudo que um TDA precisa, uma vez que é desorganizado. Mas como assim?

A ansiedade envolvida na sensação de que algo está sempre errado direciona a atenção do TDA. Ele se foca na procura de tais problemas potenciais. E se não houver um, é capaz de arrumar. Ou, então, transforma algo corriqueiro em um problemão. Essa preocupação infindável aumenta a acuidade de seu sistema atentivo, força sua área pré-frontal ("fronte") a monitorar os estímulos e o ambiente, como os olhos de uma águia à procura de presas. Ante a incômoda alternativa de se sentir invadido por estímulos incessantes, variados e irrelevantes, o TDA ansioso prefere a igualmente incômoda sensação de se ver bombardeado por estímulos variados catalisadores de preocupação, mas que, pelo menos, não considera irrelevantes. Claro que essa preferência não é intencional, ou mesmo ativamente consciente. Mas o mal-estar e o estado de alerta parecem ser melhores do que se sentir assoberbado e confuso.

Logo, é necessário voltar àquela suposição: seria melhor ter este jeito preocupado do que ser desorganizado?

Decididamente, não. Há outros modos mais saudáveis e produtivos para um TDA se organizar, que não impliquem tanto desgaste. Responder sim a esta pergunta seria permitir a substituição de uma sobrecarga pela outra, o forno pela frigideira. A ansiedade generalizada, quando se torna crônica, arrasta o sujeito de volta ao ponto inicial que aflige um TDA: que é ter dificuldades em se concentrar, falhas de memória e muito, muito desconforto físico e mental. É o mesmo que beber água do mar quando se está com sede. Ao final, ele ficará desidratado e seu organismo desequilibrado e em perigo. É correr em círculos, atrás da própria sombra: estará exausto, sem sair do ponto de partida.

O desconforto é tamanho que leva muitos indivíduos a procurarem ajuda médica. E, assim, temos descoberto vários TDAs. Eles costumam procurar ajuda, obviamente, para a ansiedade generalizada. No entanto, após criteriosa "garimpagem" diagnóstica, é possível encontrar o transtorno do deficit de atenção, ali escondido, em meio aos cascalhos da ansiedade. Muitas vezes, tratando-se o comportamento TDA, os sintomas de ansiedade decrescem acentuadamente.

Por fim, é importante saber diferenciar o Transtorno de Ansiedade Generalizada (TAG) da ansiedade difusa e oscilante que normalmente acompanha o TDA. Um critério bastante sólido para distinguir uma de outra é a constância desse estado de ansiedade. Um TDA, com frequência, atravessa seus picos de ansiedade, mas se esta perdura por, no mínimo, seis meses e traz desconforto significativo, pode-se começar a levantar a suspeita de comorbidade (transtorno associado).

TDA com pânico

Dos casos mais sofridos que temos acompanhado, este é certamente um dos que mais nos mobilizam. O transtorno do pânico, por si só, causa um tormento inenarrável. É uma das faces mais representativas do sofrimento humano.

Um ataque de pânico caracteriza-se por um pico de ansiedade aguda e intensa, e dura de vinte a trinta minutos, em média. Mas essas dezenas de minutos parecem estender-se pela eternidade para quem as experimenta. Nesse espaço de tempo, o indivíduo é engolido por uma espiral de sensações aterradoras: taquicardia, sudorese, náuseas, sensação de falta de ar, tremores e outras reações fisiológicas acompanhadas da angustiante impressão de que irá morrer ali naquele momento, ou perder o controle e enlouquecer. Muitos relatam a nítida sensação de desrealização e de forte estranhamento de si mesmo e do ambiente. Frequentemente, o medo de vir a sofrer um novo ataque de pânico ocupa de tal modo a mente de uma pessoa que ela acaba por desenvolver o transtorno do pânico.

Assim, o transtorno se caracteriza pela ocorrência repetida de ataques de pânico. O medo constante de sofrer outros ataques faz com que a pessoa desenvolva uma série de formas de automonitoração. Ela já acorda atenta para sinais de que algo errado pode estar germinando em seu organismo. Sente a batida do coração, pode mesmo escutá-la; monitora a frequência respiratória, a tensão dos músculos, a firmeza das mãos. Enfim, torna-se superconsciente de seu estado interno, e a mínima alteração sentida no organismo (real ou não) pode desencadear apreensão antecipatória e estado de grande ansiedade, que se fundem em uma crescente expectativa cada vez mais catastrófica. Culmina-se, por fim, na experiência vertiginosa do ataque de pânico.

É um círculo vicioso que se alarga e se contrai repetidamente. É preciso rompê-lo!

Tais ligeiras variações em nossos processos fisiológicos passam completamente despercebidas por quem não sofre desse transtorno. E, mesmo que sejam percebidas, não são interpretadas como sinal de que algo está indo mal em nosso corpo. Assim, não é desencadeada a apreensão ansiosa que caracteriza o transtorno do pânico.

Você pode estar se perguntando: como um TDA distraído pode ater-se a estímulos tão sutis como alterações na frequência cardíaca, por exemplo? Não é mais coerente que a dispersão o impeça, ou mesmo o impossibilite de conseguir essa proeza?

Já responderemos a esta pergunta. Por ora, é importante lembrar o poder organizador que a ansiedade representa para um TDA. Ele pode se debater com sua ansiedade em um nível basal, mas esta pode, eventualmente, atingir um pico característico de um ataque de pânico. Se ele tiver a predisposição biológica (alterações serotoninérgicas), a porta estará aberta para desenvolver o transtorno do pânico. E, em acréscimo, se tiver a suscetibilidade psicológica, isto é, tendência a se preocupar com doenças e morte — por ter vivido em ambiente familiar e social que propiciava isso, ou por ter associado a algum evento traumático, como morte de pessoas queridas —, a porta não só estará aberta, como também, escancarada.

É importante também ter sempre em mente o fato de o termo deficit de atenção ser considerado, atualmente, errôneo ou incompleto, bem como relembrar que o que ocorre verdadeiramente é a inconstância de atenção, variando entre a incapacidade em mantê-la e a sua intensa e prolongada focalização em algum estímulo.

Assim sendo, a questão pode ser esclarecida. Um TDA que se organize em torno de sua ansiedade, predisposto biologicamente, vulnerável psicologicamente e intensamente hiperfocado em seu corpo e em suas respectivas reações, reúne, em um infeliz somatório, todos os requisitos para desenvolver o transtorno do pânico.

A capacidade de hiperfocar, tão útil na grande maioria das situações, pode também atrapalhar, e muito, quando inadequadamente direcionada. Esse hiperfoco precisa ser desviado. Se o TDA não for detectado também, em detrimento dos sintomas do pânico, que realmente sobressaem muito mais, a capacidade de desviar esse hiperfoco pode estar comprometida. Ou pior, pode nem chegar a se constituir num dos objetivos do tratamento.

TDA com fobias

Como foi possível perceber, é comum a comorbidade entre transtornos de ansiedade e TDA. Dentro desse grupo, tenho deparado com vários casos de TDAs fóbicos.

Entende-se por fobia o medo exagerado, desproporcional e persistente de determinados objetos e situações (fobia específica) ou de situações sociais e de desempenho (fobia social ou timidez patológica).

No caso da chamada fobia específica, esse medo é circunscrito e claramente relacionado ao objeto ou à situação. São bastante comuns as fobias por animais, sangue e ferimentos; chuvas e tempestades; elevadores, aviões, pontes, túneis.

No caso da chamada fobia social, o medo está relacionado a situações de interação social ou de desempenho na frente de outras pessoas. O indivíduo teme contatos sociais porque tem receio de ser ridicularizado e malvisto, assim como tem expectativas bastante irrealistas do que é ser bem-sucedido socialmente.

Assim como na depressão e no pânico, os transtornos relacionados à fobia estão associados a disfunções serotoninérgicas (relacionadas ao neurotransmissor serotonina). Tais disfunções também cumprem seu papel no TDA, embora de forma secundária.

Se uma criança TDA, que também tenha predisposição genética à fobia social, crescer em um ambiente crítico e punitivo, certamente será temerosa em relação a situações sociais. Crianças e adolescentes TDAs são muito suscetíveis a receber reprimendas sociais por variados motivos. Por serem impulsivos e distraídos, frequentemente cometem gafes e micos, dificultando sua interação com os demais. Outros fatores que contribuem para desencadear a fobia social são as eventuais dificuldades que enfrentam com a linguagem: trocam ordens de sílabas ou até palavras inteiras numa frase, além dos constrangedores brancos totais, que os deixam sem saber o que dizer, quando a palavra parecia estar na ponta da língua...

Enfim, crianças e adolescentes TDAs podem receber uma série de sinais sociais negativos que os levam a desenvolver uma autoimagem debilitada. Alguns até tentam ser os "palhaços" do grupo, o que os faz mais populares e os ajuda a lidar melhor com a situação. No entanto, outros podem buscar no comportamento de fuga e evitação de contatos sociais o meio de não se expor ao escrutínio de outras pessoas.

A adolescência é um período crítico na vida de uma pessoa, e forma o caldo de cultura perfeito para o desenvolvimento da fobia social. É nesse período que se iniciam os sintomas característicos desse transtorno de ansiedade. Com a predisposição biológica e o "empurrãozinho" de fatores sociais típicos da idade, um jovem TDA pode desenvolver um medo intenso de situações de interação social. Estas situações podem ser circunscritas e limitadas, como dificuldade de tomar um simples cafezinho em público ou de se apresentar para uma plateia; como podem estar generalizadas para toda e qualquer situação, causando intenso sofrimento e limitações.

Um TDA que sofra também de fobia social pode acabar jogando todo o seu talento pela janela, já que deixará de expressar sua criatividade e inventividade, por se julgar incapaz de defendê-las e sustentá-las.

É certo que este indivíduo terá um desempenho acadêmico e laboral bem abaixo de suas capacidades, uma vez que não pode nem pensar na possibilidade de se expor e mostrar o que tem de melhor. No trabalho, principalmente, pode ter poucas chances de ascensão, já que reluta em aceitar responsabilidades maiores e recolhe-se às penumbras de sua potencialidade. Pode estar escondido ali um talento desperdiçado, como pudemos confirmar em alguns casos que acompanhamos. A boa notícia é que, com o tratamento adequado, talentos ocultos podem ganhar o mundo externo em vez de permanecerem cerrados em si mesmos.

TDA com transtorno obsessivo-compulsivo (TOC)

Não tem sido incomum em nossa clínica nos depararmos com TDAs que também apresentam transtorno obsessivo-compulsivo (TOC) concomitantemente. Quem conhece algo a respeito do transtorno deve estar se perguntando: "Mas como? O TOC é justamente aquele que nada tem a ver com o TDA." Realmente, tais condições possuem características tão díspares que, curiosamente, podem acabar sendo complementares. Antes de nos determos neste ponto, primeiro falaremos um pouco sobre o TOC para quem não o conhece.

O TOC, popularmente chamado de "manias", é um transtorno de ansiedade caracterizado por pensamentos, imagens ou ideias intrusivas e obsessivas (obsessões), de difícil controle, que causam grande sofrimento ao portador e às pessoas do seu convívio. Para diminuir a ansiedade e o desconforto ocasionados por tais pensamentos (que são sempre de natureza ruim), as pessoas que sofrem de TOC lançam mão de comportamentos repetitivos (compulsões) com o intuito de "neutralizar" ou prevenir as imaginárias consequências nefastas associadas aos pensamentos.

Na grande maioria dos casos, o indivíduo reconhece que os pensamentos obsessivos são destituídos de sentido ou não possuem embasamento real, além de admitir que são produtos de sua própria mente. Em alguns indivíduos essa percepção é falha, ou seja, o *insight* é bastante pobre. No caso de crianças, também não se espera que reconheçam o caráter de estranheza e ausência de sentido desses pensamentos, uma vez que ainda não desenvolveram tal nível de autopercepção.

Como exemplo, podemos citar aquela pessoa que mantém objetos e utensílios rigorosamente arrumados e empilhados, experimentando acentuada sensação de incômodo se encontrar alguma coisa fora do lugar; a pessoa que lava as mãos várias vezes ao dia porque é assaltada por pensamentos de contaminação; ou aquela que checa repetidamente os trincos e as fechaduras porque não consegue se desvencilhar da preocupante ideia de que, se não o fizer, um assaltante entrará a qualquer momento.

O tempo perdido com a realização dessas compulsões é significativo (mais de uma hora por dia) e frequentemente causa prejuízo no desempenho profissional ou acadêmico, já que a ocorrência das ideias ou imagens obsessivas prejudica a concentração necessária à realização de tarefas. Além disso, normalmente há prejuízo considerável na sua vida social, uma vez que as obsessões e a realização de rituais podem ser tão incômodas e constrangedoras que o indivíduo acaba se isolando e evitando locais e situações nas quais tenha de se expor. Em alguns casos extremos, a pessoa deixa de sair de casa e, assim, fatalmente sucumbirá à depressão.

Aliás, o TOC tem uma alteração bioquímica em comum com a depressão: disfunções serotoninérgicas. Como será visto no capítulo referente à etiologia (origem da questão), a serotonina também cumpre seu papel no TDA, embora sem a mesma preponderância que a dopamina e a noradrenalina. De qualquer forma, há mais em comum entre o TDA e o TOC do que a sigla de três letras.

Pessoas com TDA que tenham a vulnerabilidade biológica e genética para o TOC podem ser mais suscetíveis a desenvolvê-lo do que pessoas que não tenham TDA. Como o TDA é assaltado por estímulos, ideias e imagens que não consegue filtrar eficientemente, a probabilidade de ter pensamentos considerados desagradáveis e desencadeadores de ansiedade aumenta de maneira dramática.

Mas, além do fluxo aumentado de ideias e imagens, as dificuldades de organização, as constantes distrações e esquecimentos do TDA podem causar desconforto adicional. Se o indivíduo passa a ser assaltado por pensamentos de que esqueceu algum objeto, de que alguma coisa pode estar fora do lugar, de que algo pode dar errado por conta de sua distração, e começa a desenvolver comportamentos ritualísticos de verificação ou contagem para prevenir tais situações, então, infelizmente, o TOC pode desenvolver-se como quadro associado.

Neste caso, o diagnóstico também deve ser feito com bastante critério, uma vez que os sintomas de TOC são muito mais aparentes e causam desconfortos mais significativos, podendo mascarar o TDA.

Uma condição muito mais comum e que, felizmente, não causa sofrimento tão acentuado é o do TDA que acaba desenvolvendo traços obsessivos para conseguir lidar melhor com suas distrações, frequentes esquecimentos, desorganização e rompantes impulsivos. Ele engendra seus esquemas de organização e acaba se tornando bastante meticuloso e crítico em seu trabalho. Como sabe que tende a cometer erros por causa de detalhes bobos, checa constantemente seus afazeres com cuidado redobrado. Este tipo perfeccionista materializa-se perfeitamente na figura do TDA bem-sucedido, que utiliza bem as vantagens de seu funcionamento, ao mesmo tempo que minimiza as desvantagens, desenvolvendo esses pequenos traços obsessivos. O problema aqui pode ser a ansiedade que inevitavelmente experimentará em função de seu perfeccionismo. Como foi visto no capítulo sobre tipos talentosos de TDA, este indivíduo iria se encaixar bem na figura de um TDA acionista.

TDA com depressão

Em uma pessoa com TDA, a depressão pode desenvolver-se de forma secundária ao desconforto provocado pelo comportamento TDA, como também pode surgir primariamente em função de alterações neuroquímicas e/ou funcionais semelhantes. Inicialmente, falaremos um pouco da primeira condição.

Não é muito difícil se imaginar a relação do TDA com estados depressivos. Como temos realçado repetidamente neste livro, a pessoa com TDA, na grande maioria das vezes, tem baixa autoestima. Ela desenvolve um baixo conceito de si mesma, não só pelas referências externas que recebeu, mas também pelas críticas, repreensões, castigos, comentários depreciativos acerca de suas características e tantos outros sinais sociais negativos. Além disso, ela se pauta em seus referenciais internos, no que sente em si mesma: suas dificuldades cotidianas de organização, a tendência a protelar tarefas, a desatenção, os erros bobos, a impulsividade e as inúmeras gafes consequentes desta, a inquietação, os esquecimentos e a penetrante sensação de baixo rendimento.

Ela se autodefine na frase "eu sou inadequada" e acaba mergulhando no pessimismo persistente que a acompanha, embora seja teimosa o bastante para continuar insistindo. Um TDA dificilmente desiste. Tal como a figura mitológica de Atlas, ela não pode permitir que seu mundo desabe, mesmo que sofra sob um peso esmagador que, muitas vezes, não sabe identificar de onde vem ou de que é feito.

Assim, resumidamente, um TDA não tem uma opinião favorável de si mesmo, nem do mundo e das pessoas que o cercam; afinal, por várias vezes e em fases críticas de sua vida, não recebeu reforços sociais. E, caso tenha recebido, não percebeu ou, simplesmente, desconsiderou ou não valorizou como deveria. Ele já não avalia muito bem o impacto que causa nas pessoas e no ambiente.

Sua vibração contagiante, criatividade e carisma podem ser percebidos por todos, menos por ele mesmo. Igual a quem está perdido em uma sala de espelhos modificados de um parque de diversões, vendo imagens distorcidas de si mesmo.

A partir daí, não fica difícil concluir que essa pessoa seja tremendamente desesperançada em relação ao futuro e à sua capacidade de enfrentá-lo. O futuro é um monstro à espreita na esquina, e, mesmo que muitas vezes essa pessoa dobre muitas esquinas da vida com eficiência, ainda acredita que foi por sorte e não por sua capacidade. Para ela, o monstro pode saltar a qualquer momento.

Essa situação muito comum de se sentir "remando contra a maré" predispõe o TDA a um estado de depressão que, a nosso ver, representa muito mais um estado de exaustão em função da grande quantidade de energia dissipada pelo próprio comportamento TDA e suas consequências cotidianas nos mais diversos âmbitos de sua vida (profissional, social, afetivo e familiar).

Por outro ângulo, temos o fato de que, provavelmente, TDA e depressão compartilhem alterações semelhantes (ver capítulo sobre origem do TDA). Estudos sugerem tal possibilidade, já que alguns medicamentos antidepressivos revelam-se eficazes no tratamento do transtorno do deficit de atenção, quando prescritos em baixas doses. Assim, é bastante provável que as duas condições coexistam em quem seja biologicamente vulnerável. E os sintomas de uma acabem por agravar os da outra e vice-versa.

De fato, já nos deparamos com vários casos de depressão em que, após criteriosa investigação, revelou-se também o transtorno do deficit de atenção, até então oculto pelos sintomas mais evidentes das alterações no humor. Aliás, é necessário que o médico seja bastante cuidadoso com a questão da instabilidade humoral. Normalmente, o indivíduo que tem TDA já apresenta oscilações de humor bastante acentuadas; às vezes, em curtos espaços de tempo. Diferenciar esse "sobe e desce" afetivo, característico do TDA, de um quadro realmente depressivo é de importância vital, pois implica alterar inclusive a conduta medicamentosa. Para diagnosticar-se a depressão, deve-se observar a consistência do quadro clínico, em contraposição à labilidade dos estados de humor de um indivíduo com TDA.

TDA com transtorno bipolar do humor

O transtorno bipolar, às vezes, pode ser confundido com o TDA porque ambos envolvem um alto nível de energia e atividade. A característica mais marcante do transtorno bipolar é a intensa variação de humor, indo do poço mais fundo da depressão aos píncaros da exaltação e do entusiasmo disparatados. Embora o TDA também possua mudanças de humor súbitas, o que diferencia os dois transtornos é a intensidade com que estas alterações se manifestam.

O bipolar sempre desce mais fundo e alça voo mais alto. A amplitude entre os estados de humor extremos é bem maior que no TDA. Um TDA pode ser visto como agitado, entusiasmado e "elétrico", e ter seus pontos fortes justamente nessas características, sendo admirado por isso com frequência.

No entanto, a pessoa com transtorno bipolar e que esteja em fase eufórica dificilmente será vista da mesma forma. As outras pessoas logo percebem que algo está *over* ali e, frequentemente, consideram isso bastante desagradável. A pessoa em crise eufórica fala aos jorros, sem pausas, e salta de um tópico a outro sem nenhuma conexão aparente ou plausível entre os assuntos, assim como costuma discursar sobre a importância de si mesma. Pode tornar-se irritadiça e até agressiva. Perde completamente as estribeiras, esbanja somas de dinheiro que muitas vezes não tem, coloca-se em empreitadas arriscadas, perde a noção do perigo. Ela não tem limites. Quando entra na fase depressiva, cai no fundo do poço e um pouco mais ainda. Não parece a mesma pessoa. Mas é; só que murcha e desbotada.

O TDA, embora também tenha alguma oscilação de humor, não chega a despencar para um estado depressivo, a não ser que realmente entre em depressão, como já foi visto há pouco no tópico TDA e depressão.

Diferenciar os dois transtornos é determinante para o bem-estar do paciente, visto que a terapêutica psicofarmacológica é completamente diferente, e o que é eficaz para um é inócuo para o outro.

Saber diferenciá-los também é importante na medida em que há a possibilidade de uma pessoa apresentar os dois quadros simultaneamente. Muitas vezes, o TDA passará completamente despercebido por entre os sintomas muito mais floridos do transtorno bipolar. Mas o TDA pode estar presente e não ser adequadamente tratado. O médico perceberá que o tratamento não estará sendo tão eficiente como costuma e poderá ter dificuldades, se não perceber os rastros deixados pelo TDA no solo caótico do transtorno bipolar. Saber identificar esses rastros é uma tarefa desafiadora que requer observação cuidadosa e dedicada.

TDA com transtornos alimentares

Como já se sabe, comportamentos compulsivos são um tanto comuns em quem tem TDA. As compulsões podem tanto se apresentar na forma da dedicação exagerada ao trabalho (o *workaholic*) como no uso compulsivo de cigarro, bebida ou outras substâncias ilícitas, sexo ou ainda comida.

Por vezes, essas compulsões podem ultrapassar a condição de comportamentos característicos do TDA e tornarem-se transtornos à parte. Um exemplo muito comum é a dependência química.

Muitos TDAs se comportam como grandes comilões e apresentam dificuldades em controlar o impulso de comer "besteirinhas". Como no caso das drogas, pode ser uma tentativa errada de automedicação. O indivíduo pode experimentar alívio em seus sintomas de inquietação e desconforto subjetivo quando está "roendo" alguma coisa. O problema começa quando isso acarreta algum prejuízo e desconforto à vida dessa pessoa, interferindo em seu funcionamento no ambiente familiar, acadêmico, profissional ou social. Em alguns casos, pode realmente existir comorbidade com algum transtorno alimentar, tais como o transtorno da compulsão alimentar, a bulimia e a anorexia nervosas. Os dois últimos não são tão comuns como comorbidades associadas ao TDA, pelo menos não a ponto de despertarem nossa atenção terapêutica. Diríamos que, dentre os transtornos alimentares que já observamos em alguns dos nossos pacientes TDAs, o transtorno da compulsão alimentar é o mais comum, seguidos de longe pela bulimia e anorexia nervosas.

Quando o TDA deixa de atacar a geladeira para comer simples "besteirinhas" e passa a ingerir grandes quantidades de alimentos, muitas vezes organizando-se em torno disso, pode estar apresentando o que se chama de transtorno da compulsão alimentar. A pessoa simplesmente não consegue controlar seus desejos de ingerir alimentos, esteja com fome ou não. Aliás, não se dá tempo de sentir fome. Seu organismo está constantemente sobrecarregado com a função digestiva e isso pode acarretar problemas no aparelho gastrintestinal, bem como em outros órgãos.

O transtorno da compulsão alimentar costuma levar o indivíduo a procurar ajuda em função dos prejuízos mais visíveis em seu aspecto físico (a obesidade), com consequente comprometimento de sua autoestima. Não é incomum esses pacientes procurarem, como primeiro tratamento, médicos especializados nos mais diversos tipos de dietas ou nutricionistas, antes de terem seus problemas relacionados aos sintomas de TDA. Portanto, é bastante útil questionar esses pacientes acerca de sintomas característicos de TDA, bem como de outros transtornos.

TDA com outros transtornos de aprendizagem

Além das dificuldades de manter a atenção e concentração, o TDA também pode vir acompanhado de outros problemas de aprendizagem, dificultando o desempenho escolar e acarretando sofrimentos incalculáveis. Abaixo, os problemas mais comuns, de forma resumida:

- Dislexia: é um transtorno de aprendizagem na área da leitura. Manifesta-se pela facilidade em trocar letras com diferenças sutis de grafia (d-p, p-q, b-q) ou com sons muito parecidos (d,t,f,m,n). Os disléxicos também podem trocar sílabas de uma palavra, ou até mesmo palavras inteiras que compõem uma frase, dificultando a compreensão do texto.
- Disgrafia: manifesta-se como uma dificuldade motora na execução da escrita. As letras podem ficar ilegíveis por falta de harmonia nos movimentos. Os traços variam entre pouco precisos (muito leves) e demasiadamente fortes, a ponto de vincarem o papel. Geralmente é confundido com "letra feia" ou "má caligrafia" e muitos professores acusam o aluno de não ser caprichoso, gerando ainda mais problemas.

• Discalculia: é um problema neurológico que torna difícil para o indivíduo realizar operações matemáticas, cálculos, classificar números ou mesmo colocá-los em sequência. O aluno pode confundir números parecidos, como 6 e 9, e ter enormes dificuldades em memorizá-los. Imagine o transtorno que isso pode acarretar a uma pessoa que mal consegue decifrar as horas, memorizar números de telefones ou fazer uma simples continha de somar.

Nenhum dos transtornos acima está relacionado com baixa inteligência, má vontade do aluno ou situação socioeconômica. São problemas neurológicos, de origem hereditária e que necessitam de uma equipe multidisciplinar para acompanhar o aluno em sua rotina escolar. Caso contrário, repetirá o ano letivo ou abandonará a escola precocemente.

TDA com transtorno desafiador opositivo

O transtorno desafiador opositivo é um distúrbio comportamental bastante perturbador e que causa muita consternação. Crianças e adolescentes com esse transtorno são mais do que rebeldes ou problemáticos. Eles apresentam comportamentos negativistas, desafiadores, hostis e de desrespeito a figuras de autoridade (pais, familiares, professores) e a regras estabelecidas. São teimosos ao extremo e relutam em obedecer às ordens ou negociar com os adultos ou colegas. Normalmente apresentam baixíssima tolerância à frustração, culpam os outros pelos seus erros, envolvem-se constantemente em brigas e discussões, incomodam deliberadamente os demais, são rancorosos e vingativos.

Para caracterizar o transtorno, é preciso que os sintomas estejam presentes por pelo menos seis meses, com prejuízos significativos no funcionamento social, acadêmico ou ocupacional da criança e do adolescente. Via de regra os sintomas se iniciam antes dos 8 anos de idade e acometem mais meninos do que meninas, numa proporção de 2:1.

Em algumas crianças com esse transtorno observa-se também a presença do transtorno do deficit de atenção, principalmente naquelas cujos sintomas de hiperatividade/impulsividade são predominantes. Neste caso, os dois problemas devem ser diagnosticados e tratados, o que requer muito mais dedicação e persistência dos envolvidos.

É importante salientar que o TDA pode manifestar alguns comportamentos que lembrem os sintomas do transtorno desafiador opositivo. No entanto, a criança, que é apenas TDA, pode apresentar comportamentos problemáticos muito mais em função da hiperatividade, impulsividade e desatenção do que comportamentos com a intenção clara de causar prejuízos ou burlar regras. Uma criança TDA, por exemplo, pode deixar de seguir uma ordem porque não está atenta o suficiente ou porque tem dificuldades em realizar a tarefa até o final, mas jamais porque realmente seja sua intenção principal desafiar a pessoa que fez o pedido ou então desrespeitar alguma regra. Há uma distinção clara de temperamento.

A criança TDA pode cometer alguns erros graves porque foi desastrada, imprudente e impulsiva e não motivada por sentimentos de rancor ou vingança. É necessário fazer cuidadosamente essa distinção, porque a criança que apresenta o transtorno desafiador opositivo pode também ter as características de impulsividade e hiperatividade do TDA, mas o temperamento primário é bastante diferente, assim como a motivação para os comportamentos problemáticos.

TDA com uso de drogas

Esta condição será relatada em detalhes no capítulo referente à dependência química: “Uma relação explosiva: TDA e drogas”.

TDA com transtornos do sono

Esta condição será relatada em detalhes no capítulo referente aos transtornos do sono: “A difícil tarefa de dormir bem”.

...Ouça-me bem! amor/
preste atenção/
o mundo é um moinho/
vai triturar teus sonhos tão mesquinhos/
vai reduzir as ilusões a pó...

"O Mundo é um Moinho"
(Cartola)

CAPÍTULO 9

Uma Relação Explosiva: TDA e Drogas

PERIGOS CAMUFLADOS E ATRAÇÕES FATAIS...

Dario tem 40 anos. Já trabalhou como analista de risco em investimentos em um grande banco. Hoje trabalha no pequeno bazar do pai. Perdeu o emprego porque, apesar de seu *timing* e arguto senso de oportunidade, a inconstância de seu comportamento não o tornava apto a manter um trabalho com hora de entrada e saída, prazos a cumprir, relatórios e justificativas a apresentar. Seu envolvimento com drogas desestruturou toda sua vida. Às vezes, no embalo do consumo, esquecia-se até de justificar as faltas no trabalho.

O mais curioso é que ele fazia uso da cocaína para "se inspirar". Dizia que se sentia mais concentrado e eficiente. Quando estava sob efeito da cocaína, falava, "meus instintos ficam mais agudos", "eu arrisco mais". Algumas de suas jogadas financeiras bem-sucedidas eram atribuídas a esses ilusórios momentos de ápices perceptivos. Mas, certamente, todos os seus fracassos desde então também podem ser seguramente imputados ao vício que ele acreditava proporcionar tais momentos.

> *No início, a percepção que tinha era de que a droga me turbinava. Desenvolvi dependência rapidamente. Não demorou muito para começar a consumir a droga simplesmente para não passar pelo mal-estar da abstinência. Era como estar em areia movediça. Quanto mais eu me debatia, mais me afundava.*

Dez anos depois de estabelecida a dependência, Dario recebeu o diagnóstico de TDA. Em uma consulta médica, o psiquiatra prestou especial atenção à declaração de Dario sobre os efeitos da cocaína em seu organismo. Ao contrário da maioria dos usuários, Dario não relatava sentir-se "alucinado". E sim com "percepção aguçada", capaz de ficar horas "fazendo a mesma coisa". Esse efeito paradoxal norteou os questionamentos posteriores do médico até que concluísse pelo diagnóstico de transtorno do deficit de atenção.

Dario estava se "automedicando". A cocaína o fazia se sentir mais concentrado e produtivo, no início. Trazia muito trabalho para casa e fazia a maior parte deles, assim, sob efeito da droga. No local de trabalho ficava disperso e inquieto, não se sentindo eficiente o bastante. Mas, ao cabo de certo tempo, os efeitos devastadores da droga começaram a se fazer notar e logo já não lhe serviam para nada, nem para se concentrar. Ele foi engolfado pela necessidade e dependência. Precisava da cocaína apenas porque seu organismo estava dependente. Mas já não sentia nenhum efeito pseudobenéfico. A droga tornou-se um fim em si, e não apenas o meio. Hoje em dia, declara:

> *Se houvesse outros modos de conseguir me organizar, ou se pelo menos soubesse que meu funcionamento dispersivo era devido a uma condição orgânica e não a uma tendência à preguiça, como eu acreditava antes, talvez tudo pudesse ter sido diferente. Não sei. Mas isso não ajuda em nada agora. O que interessa é me levantar dos escombros. Tentar reconstruir minha vida... Com esses entulhos construirei a base. Eles estarão sempre lá para me lembrar de tudo o que perdi e de tudo o que aprendi também.*

Existe uma relação bem estreita entre o transtorno do deficit de atenção e o uso e/ou a dependência de substâncias denominadas "drogas". Nesse universo tão complexo, nos defrontamos com uma triste realidade: pessoas com TDA são mais propensas ao uso de drogas do que outras que não apresentam tal funcionamento mental. Estima-se que só nos Estados Unidos existam cerca de 17 milhões de pessoas com transtorno do deficit de atenção e que, aproximadamente, 40% a 50% delas façam uso de drogas. Vale lembrar que esses números não incluem os indivíduos com TDA que utilizam comida, jogo, sexo, compras e outros comportamentos de forma compulsiva, que poderiam ser incluídos na categoria de dependência.

Diante dessa angustiante realidade, a sociedade, como um todo, e, em especial, os profissionais da área de saúde e educação passam a ter um compromisso ético de, ao deparar-se com um indivíduo com TDA, observar ou mesmo procurar sinais e sintomas que revelem o uso/abuso ou dependência de drogas. E vice-versa: diante de casos em que haja envolvimento com drogas, é fundamental que se tenha em mente a possibilidade da existência de TDA como "pano de fundo". Assim podemos concluir que o TDA é uma das grandes causas do abuso de determinadas substâncias químicas. Por isso mesmo, é chamado de causa "camuflada" e, como tal, precisa ser rastreado de maneira minuciosa para que um tratamento mais digno e eficaz possa ser oferecido a milhões de pessoas que sofrem angustiadamente, vitimadas por esta combinação tão explosiva: drogas e TDA.

Muitos estudos vêm sendo realizados com o intuito de entender os mecanismos psicológicos e biológicos que regem essa relação tão perigosa. Pelo lado psicológico, deparamo-nos com a hipótese da "automedicação", bem como com as características comportamentais compartilhadas entre TDAs e personalidades predispostas à dependência.

Quanto à hipótese da "automedicação", sabe-se que foi postulada por Edward Khantzian, um psicanalista especializado no estudo e tratamento de pessoas com história de abuso e dependência de substâncias químicas. Segundo o autor, as pessoas que usam drogas o fazem com o objetivo de "tratar" sentimentos camuflados ou ocultos de natureza extremamente desconfortável. Assim, a automedicação seria a utilização de substâncias com os objetivos de: melhorar o rendimento, elevar o estado de humor ou, ainda, minimizar ou anestesiar os sentimentos dolorosos. Se deslocarmos esse conceito para o funcionamento TDA, poderemos entender, pelo menos parcialmente, o fato de muitos deles se tornarem dependentes de substâncias como álcool, maconha, tranquilizantes, nicotina, cafeína, cocaína, açúcares, analgésicos e anfetaminas. Isso ocorreria com o intuito, pelo menos inicial, de proporcionar alívio às suas mentes e/ou corpos inquietos. Assim, apesar de o termo automedicação não ter sido criado para explicar o abuso de drogas pelos TDAs, seu entendimento cai como uma luva no campo da psicopatologia do transtorno do deficit de atenção e sua relação com as drogas. É como abrir uma das portas do complexo universo das mentes TDAs e sua busca, às vezes desesperada, na tentativa de se organizar.

Em um primeiro momento, ou seja, assim que um TDA inicia seu contato com algum tipo de droga, o efeito da "automedicação" pode até apresentar-se de maneira eficaz (na verdade, pseudoeficaz), uma vez que drogas como a cafeína, a cocaína ou as anfetaminas fazem com que o TDA consiga se concentrar, encadear seus pensamentos e dar continuidade às suas tarefas. Já drogas como álcool, maconha, morfina e derivados, tranquilizantes e heroína proporcionam ao TDA um "anestesiamento" de seus sentimentos e de sua habitual ansiedade.

Muitas pessoas com TDA apresentam grandes dificuldades em se manter estáveis emocionalmente. Costumam se sentir tristes, ansiosas, angustiadas, exaltadas ou mesmo "estranhas", sem qualquer motivo aparente ou plausível. Essa avalanche de sentimentos pode levar o indivíduo a vivenciar um estado que denominamos desconexão emocional, no qual predomina uma sensação de estranheza em relação a si mesmo. Uma situação vivenciada com grande desconforto (físico e mental) e muito sofrimento, levando com frequência ao abuso de substâncias, na tentativa de se automedicar.

Corroborando o conceito de automedicação na estreita relação entre TDA e drogas, pode-se destacar ainda o fato de muitas pessoas que ignoram ser TDAs, ao terem contato com cocaína ou anfetaminas, sentirem alívio em vários dos seus sintomas, como desatenção e desorganização. Esse alívio temporário faz com que muitos TDAs se tornem usuários crônicos dessas drogas. Vale lembrar que a Ritalina®, uma das medicações mais usadas e eficazes no tratamento do TDA, possui um mecanismo de ação parecido com o da cocaína e o das anfetaminas, por isso é também chamada de estimulante do sistema nervoso central. Assim, podemos deduzir que muitos adolescentes e adultos com TDA podem estar usando, de maneira inadvertida e perigosa, cocaína e anfetaminas como forma de automedicação.

Pelo exposto, conclui-se que a cocaína e alguns tipos de anfetaminas seriam as drogas em potencial para um TDA. No entanto, observa-se que o uso do álcool e da maconha também são bastante frequentes na vida destas pessoas.

Nesses casos, a utilização das drogas visa minimizar a grande angústia e ansiedade que esses indivíduos apresentam. O álcool, tal qual um tranquilizante, tem a capacidade de reduzir, a curto prazo, estes desconfortáveis sintomas. No entanto, com o abuso crônico, o álcool gera neste mesmo indivíduo sintomas depressivos e, uma vez estabelecida a dependência física, proporciona grandes doses de ansiedade em função das crises de abstinência.

Tal qual o álcool, a maconha, inicialmente, proporciona grande alívio na inquietação mental e física de um TDA, mas, a longo prazo, promove uma desmotivação vital que acaba por alimentar a desorganização que muitas vezes toma conta do cotidiano dos TDAs. Assim, pode-se concluir que, por um período, em geral curto, a "automedicação" pode trazer uma sensação bastante confortável a um TDA; todavia, com o passar do tempo, poderá acarretar uma grande lista de problemas desagradáveis relacionados com a dependência química. Uma vez que esta seja estabelecida, a droga consegue o que parecia impossível: transformar a vida de um TDA em algo muito mais difícil e desconfortável que antes. O que no início era solução transforma-se, agora, em um poço sem fundo de problemas que podem incluir: perda de emprego, violência doméstica, desestruturação de famílias, desastres automobilísticos, comportamento sexual de alto risco, crimes impulsivos, ruína financeira e, até mesmo, morte.

A afirmação de Wendy Richardson resume perfeitamente a situação de risco presente na relação TDA-Drogas-Automedicação: "Automedicar TDA com álcool e outras drogas é como apagar fogo com gasolina. Sua vida pode explodir se você tentar ludibriar as chamas do TDA."

Ainda dentro dos aspectos psicológicos existentes na coligação TDA e drogas, devemos destacar o fato de que algumas características apresentadas no comportamento TDA se encaixam perfeitamente no perfil de personalidade de pessoas com tendência à dependência.

Ao se analisar a personalidade dos indivíduos que se tornam dependentes de algum tipo de substância, é possível deparar-se, na grande maioria das vezes, com alguém dotado de uma estrutura interna frágil, desprovida de recursos para enfrentar, de maneira adequada, os fatos e momentos marcantes de sua vida. Lidar com a vida é algo muito difícil para os dependentes, não só pelas dificuldades reais que os cercam, como pela sua incapacidade de utilizar suas vivências passadas como aprendizado útil no enfrentamento da realidade. Incapazes de suportar as frustrações e restrições inerentes à vivência humana, estas pessoas passam a agir de maneira extremamente impulsiva, com o intuito urgente de saciar sua ânsia de segurança interna. Dessa maneira, partem para o uso de uma substância (droga) e passam a ter a ilusão de estarem supridas e suficientemente fortes para enfrentarem as adversidades.

Quem não se lembra das aventuras de Popeye, personagem que retratava um homem simples e comum que, ao se deparar com problemas pessoais de qualquer ordem, recorria ao seu mágico espinafre, com o poder de transformá-lo em um super-herói seguro de si e imbatível? Diante do status que Popeye adquiria com o uso de seu espinafre, pode-se afirmar que existe nesta inocente relação (Popeye X espinafre) toda a dinâmica presente na interação dependente X droga. Afinal, uma substância, por si só, não é uma droga. O que determina a designação de droga dada a uma substância é a mudança de comportamento que ela produz e o status temporário de que o usuário desfruta com a transformação advinda de seu uso.

O indivíduo com características que o predispõem à dependência não consegue entender que uma mudança real e saudável é fruto, fundamentalmente, do desenvolvimento da paciência, do exercício da capacidade de reflexão e da aceitação dos sofrimentos e fracassos vitais. Para esse indivíduo, toda a demora no processo de uma mudança real é inaceitável. Isso ocorre porque, além da impaciência, ele nutre uma necessidade violenta e impulsiva de desfazer-se de uma identidade que ele próprio não estima e que, em muitos casos, foi também pouco estimada nas etapas iniciais de sua vida.

O dependente se vê como uma estrutura estática e incapaz de realizar mudanças positivas a partir de si mesmo. Assim, compulsivamente, segue em direção à negação de suas fragilidades, por meio do uso de substâncias mágicas que lhe ofereçam mudanças rápidas e sem qualquer tipo de esforço autorreflexivo.

Semelhante a uma personalidade predisposta à dependência, o TDA apresenta uma estrutura interna frágil, grande insegurança pessoal, baixa autoestima, impaciência, baixa tolerância à frustração e intensa impulsividade.

Não se sabe dizer se essas semelhanças possuem algum significado maior que nos leve a uma gênese comum, pelo menos parcialmente, entre o funcionamento TDA e a dependência química. Até o momento, no que concerne à análise comportamental desses dois funcionamentos, só se pode afirmar que suas estradas costumam cruzar-se com uma frequência bastante peculiar.

No que se refere ao aspecto biológico da questão, tudo começa a se encaminhar para o neurotransmissor dopamina. Parece que é justamente neste ponto que dependência e TDA usufruem de um território comum.

Em relação à dependência, sabe-se que muitos indivíduos usam drogas para obter, através delas, sensações ou comportamentos vantajosos e prazerosos. Se assim não fosse, as drogas não seriam hoje um problema de saúde pública em todo o mundo. É comum referir-se à dopamina como o neurotransmissor do prazer e da motivação, e logo se passa a associá-la ao prazer que algumas substâncias podem produzir nos indivíduos em função do seu uso.

Essa associação, inicialmente empírica, vem sendo bastante estudada e, nos últimos tempos, comprovada, graças a pesquisas realizadas recentemente sobre os efeitos da cocaína através de imagens cerebrais obtidas pela tomografia PET (*Positron Emission Tomography*), um sofisticado método que permite visualizar o funcionamento dos neurônios no exercício de suas funções, utilizando-se marcadores radioativos.

As pesquisas revelaram que a cocaína faz com que uma maior quantidade de dopamina fique disponível no cérebro, causando assim os efeitos eufóricos associados à sua utilização. Pode-se concluir que a cocaína em si não é responsável pelo prazer experimentado por seus usuários, e sim pelo aumento significativo de dopamina que promove no cérebro. Portanto, qualquer substância e comportamento que tenham o poder de aumentar os níveis de dopamina no organismo podem ser chamados de droga. Por isso mesmo se atribui, nos dias atuais, o status de droga ao álcool, cafeína, anfetaminas, maconha, nicotina, heroína e outras mais que, certamente, surgirão.

Se for lembrado que o metabolismo da dopamina encontra-se alterado no transtorno do deficit de atenção, pode-se imaginar, no mínimo, que reside neste fato a base cerebral desta interdependência — TDA X drogas — de consequências tão preocupantes quanto explosivas.

Quem se tornará dependente?

Todo TDA é vulnerável a abusar de qualquer substância que provoque alteração de comportamento com o objetivo de diminuir os sentimentos desconfortáveis que acompanham esse funcionamento cerebral. Contudo, existe uma variedade de fatores envolvidos no fato de uma pessoa com TDA tornar-se dependente e outras não. A causa disso não é única, pois uma combinação de fatores está envolvida no processo. Predisposição genética, neurobioquímica cerebral, história familiar, traumas, estresse, tipos de droga e outros fatores físicos e emocionais fazem parte dessa engrenagem.

Parte essencial na determinação de quem se tornará dependente ou não é a combinação desses fatores e a cronometragem (tempo de exposição a eles). Um TDA pode ter uma predisposição genética para o álcool, mas, se ele opta por não beber, consciente dos riscos aumentados que possui, nunca se tornará um alcoólico. O mesmo ocorre com as demais drogas. Se um TDA nunca fumar maconha, cheirar cocaína ou usar heroína, obviamente nunca se tornará um dependente dessas substâncias, independentemente de seu funcionamento e/ou de outros fatores predisponentes. Por isso, em se tratando de drogas e TDA, a máxima regente é intervenção precoce e prevenção.

Intervenção precoce e prevenção

Nem pense. Diga NÃO! Essa simples tomada de posição pode revolucionar positivamente a vida de um TDA no que tange à sua truculenta relação com as drogas. Isso pode soar muito simplista, mas, se fosse assim, não se teriam milhões de crianças, adolescentes e adultos usando drogas todos os dias em toda parte do planeta. Para alguns, a atração biológica e emocional pelas drogas é algo tão forte que conceituar os riscos de automedicar-se pode ser muito difícil. É o caso de pessoas com TDA que têm uma grande afinidade e atração por experiências estimulantes e arriscadas. Isso também se aplica a pessoas com TDA que estão sofrendo física e emocionalmente com inquietação, impulsividade, baixa energia, vergonha, problemas de atenção e organização, e um alto índice de dor social causados pelo seu não tratamento.

É difícil dizer não às drogas quando se tem dificuldade em controlar os impulsos. Em outras palavras, não é fácil resistir às drogas quando se é atormentado por um cérebro ruidoso e um corpo inquieto. Por isso mesmo é que se deve ter em mente que, quanto mais cedo as crianças, adolescentes e adultos com TDA forem tratados, mais aptos estarão os profissionais a ajudá-los no processo de minimizar ou eliminar o efeito da "automedicação".

É importante destacar que muitos pais, psicólogos e mesmo médicos, não especializados, receiam usar medicamentos no tratamento dos TDAs. Em primeiro lugar, é preciso lembrar que o uso de medicações nesses casos não é uma obrigatoriedade e sim uma escolha de cada TDA, na busca de um padrão mais confortável para suas vidas e as dos demais ao seu redor.

Para aqueles que optam pelo uso de medicamentos como um instrumento a mais na busca desse objetivo, é importante lembrar que as medicações devem ser receitadas por um médico especializado no assunto e monitoradas de perto para que possam, de fato, prevenir ou minimizar a necessidade de "automedicação". Quando os medicamentos ajudam os TDAs a se concentrarem, controlarem seus impulsos e regularem seus níveis de energia, eles se tornam menos propensos a se "automedicarem".

O TDA, não tratado, contribui para o estabelecimento da dependência, bem como para a ocorrência de recaídas no processo de recuperação. Muitas vezes, sintomas como estados depressivos, sentimentos de incapacidade, vergonha e inadequação podem representar o gatilho que irá disparar uma recaída. Muitos TDAs em recuperação passam horas em terapias, trabalhando questões da infância, conhecendo sua criança interior e analisando seu comportamento na busca dos porquês que os levaram a abusar e a se tornarem dependentes de drogas. Todo esse conhecimento é útil e necessário para o processo de recuperação. No entanto, se, depois de anos de terapia individual ou em grupo, esses indivíduos ainda largam seus empregos de maneira impulsiva, rompem relacionamentos afetivos irrefletidamente, não conseguem dar continuidade a seus projetos e têm um nível de energia lento, rápido ou caótico, devemos atentar para a necessidade de estabelecer-se um tratamento mais direcionado para o funcionamento TDA. Uma terapia que tenha como principal objetivo reduzir sentimentos e situações que possam desencadear recaídas no árduo processo de recuperação.

Tratamento TDA/dependência

Não é suficiente tratar a dependência e não tratar o TDA, e vice-versa. Ambos precisam ser diagnosticados e tratados para que o indivíduo tenha uma chance de dar continuidade à sua recuperação.

É chegada a hora de especialistas em dependência compartilharem informações com aqueles que tratam TDA, na busca por um trabalho com objetivos comuns e mais eficazes. É fundamental que profissionais em dependência entendam que o transtorno do deficit de atenção é resultado de uma biologia diferenciada e que apresenta boa resposta terapêutica a um programa de tratamento informativo-educacional que, na maioria dos casos, inclui o uso periódico ou permanente de medicamentos. Importante, também, é que profissionais que lidam com os TDAs apoiem o envolvimento destes em programas de recuperação de dependência, bem como os ajudem a trabalhar o receio, ou mesmo o medo, de fazerem uso de algum tipo de remédio.

Um tratamento informativo-educacional para TDAs com história de abuso e/ou dependência de drogas inclui as seguintes etapas:

1. Realização de uma avaliação especializada para o TDA e dependências correlatas.

2. Informação com caráter educacional sobre como o funcionamento TDA causa impacto na vida dos indivíduos e das pessoas que os cercam.

3. Envolvimento em grupos de recuperação de dependência, preferencialmente no programa dos 12 passos (Alcoólicos e Narcóticos Anônimos).

4. Tratamento psicoterapêutico do TDA: feito através de terapia de base cognitivo-comportamental. Essa abordagem visa promover uma mudança positiva no comportamento e padrões de pensamento de um TDA, pelo entendimento adequado de seus sintomas.

5. Tratamento medicamentoso do TDA: deve ser efetuado toda vez que os sintomas do transtorno forem responsáveis por um nível muito elevado de desconforto vital, manifestado pela presença de incapacitações funcionais.

6. Trabalhar a busca de habilidades individuais que levem a um processo de produtividade pessoal e contribuam na reintegração social, familiar e profissional do indivíduo.

Há, ainda, no tratamento dos TDAs com dependência química, uma questão bastante delicada: em que momento deve-se enfatizar o uso de medicamentos para os sintomas específicos do TDA?

Entende-se que exista uma hierarquia nessa questão, que tem como base o momento de recuperação no qual uma pessoa se encontra. Assim sendo, sugere-se a existência de três estágios distintos de recuperação:

1. Estágio inicial:

Corresponde ao período em que a pessoa resolve iniciar o tratamento de sua dependência. Sintomas de abstinência como agitação, distração, alterações de humor, irritabilidade, confusões e impulsividade estão presentes e podem ser confundidos com os sintomas do TDA. Uma história infantil positiva para TDA pode ajudar a caracterizar melhor essa situação tão ambígua. Em princípio, deve-se evitar o uso de medicamentos psicoestimulantes nesta fase do tratamento, a não ser que os sintomas do TDA apresentados impeçam o indivíduo de atingir um estado de sobriedade.

2. Estágio intermediário:

Este é o período em que o indivíduo não está mais fazendo uso de sua droga e, em geral, busca ajuda para enfrentar os problemas que não desapareceram com a sobriedade. Tais problemas são, em geral, os próprios sintomas do TDA, como instabilidade de humor, desorganização, insegurança, baixo rendimento e impulsividade. Neste momento, o diagnóstico de TDA costuma ser facilmente realizado, e o medicamento pode ser utilizado com grande eficácia.

3. Estágio final de caráter contínuo:

Neste período a maioria das pessoas consegue expandir sua vida para além de tentar ficar sóbrio. É a hora excelente para tratar o TDA com medicamentos adequados, uma vez que possuem agora maior flexibilidade para lidar com outros problemas que não as drogas.

Medicamentos e dependência

Este item será iniciado com o depoimento de Mayra, artesã e química, 40 anos:

> *Receber o diagnóstico de TDA aos 40 anos foi, no mínimo, impactante, mas saber que todo o desconforto que sentia, até aquele momento, tinha uma explicação, tratamento e controle foi motivo de grande alívio.*
>
> *Tive uma infância que considero feliz, adolescência angustiada e vida adulta confusa. Pratiquei esportes por anos, fiz curso superior e logo após a formatura iniciava minha vida profissional. Aos olhos dos outros, tudo parecia dentro da normalidade, porém não era dessa forma que os meus olhos me viam.*
>
> *Sentia-me angustiada, ansiosa, exigente comigo mesma e em busca constante de algo que nunca soube definir. Era como se eu não fizesse parte do contexto, fosse apenas uma simples espectadora. Sonhadora, mas sem projetos, sem planejamentos, sem objetivos. Em eterna insatisfação, vivia apenas o presente, capaz*

de pensar e realizar várias coisas ao mesmo tempo, num ruído mental que me levava à exaustão.

Aos 23 anos, na tentativa de minimizar meu desconforto, comecei a fazer uso de tranquilizantes — automedicação favorecida pela minha própria profissão — que, com o passar do tempo, acarretaram a inevitável dependência física e psíquica. Por 17 anos consecutivos, experimentei uma grande variedade de tranquilizantes que o mercado oferece e, especialmente, o Lorazepan, que me acompanhou pelos últimos sete anos, em doses excessivamente altas.

O uso crônico dos medicamentos levou-me a um estado depressivo e insone que me fez abandonar uma vida profissional relativamente estável. Quando procurei uma psiquiatra, me sentia cética e sem esperanças.

Por meio de tratamentos psicoterápicos, medicamentos adequados e incentivos da médica que me assistiu, a depressão foi aos poucos se dissipando e fui me sentindo com mais vitalidade e desejo de um reinício. O diagnóstico do TDA me estimulou a colher informações sobre o transtorno, suas causas e consequências, as quais me fizeram me identificar cada vez mais com seus sintomas característicos.

O próximo passo foi libertar-me da dependência química. Embora tenha sido um processo tortuoso e doloroso, exigindo muita dedicação, empenho e paciência das pessoas que me eram íntimas, transpor esse desafio foi absolutamente possível.

Liberta do torpor dos efeitos dos tranquilizantes e ainda em tratamento psicoterápico, aos poucos estou adquirindo autoconhecimento e, com isso, autocontrole, podendo administrar e gerenciar melhor meus pensamentos, emoções e talentos. Estou saindo da confusão mental para a objetividade. Abandonando o adiamento crônico dos compromissos, que tanto me angustia, e aprendendo a priorizar as tarefas.

Saber ser portadora de TDA aos 40 anos acarinhou e enriqueceu minha alma, trouxe-me a paixão pela vida e mais respeito comigo mesma. Continuo sonhadora, mas hoje acalento meus sonhos, fazendo com que se projetem para o futuro de maneira prática, esperançosa e acreditando na possibilidade de realizações.

Os medicamentos psicoestimulantes (estimulantes do sistema nervoso central), quando adequadamente receitados e monitorados, são eficazes para 75% a 80% das pessoas com TDA. Esses medicamentos incluem a Ritalina®, Concerta®, Dexedrine® e Adderal® (os dois últimos não são comercializados no Brasil). É importante frisar que, quando usados para tratar TDA, a dosagem utilizada é muito menor do que a que alguns dependentes costumam usar para ficarem "altos". Quando um TDA é propenso a esse tipo de medicação, ele não se sentirá "elétrico" ou "alto". Em vez disso, relatará um aumento na habilidade de se concentrar e controlar seu nível de atividade física e mental, assim como seus impulsos.

Medicamentos não estimulantes como Efexor®, Pamelor®, Prozac®, Zyban®, Zoloft®, Prolift® e Strattera® também podem ser eficazes em aliviar os sintomas de TDA em muitos pacientes. Tais medicamentos são frequentemente usados em combinação com os psicoestimulantes; ambos em pequenas doses. Os medicamentos não estimulantes não apresentam nenhum risco de abuso e/ou dependência.

Até hoje, é comum médicos que hesitam, por diversos motivos, em usar medicamentos psicoestimulantes para tratar TDAs. No entanto, a prática clínica nos tem revelado que, quando uma pessoa, em recuperação de dependência, mostra-se, de fato, disposta a utilizar medicamentos com o objetivo claro de aumentar a eficácia de seu tratamento, a possibilidade de abuso se torna reduzida. Na verdade, a chave de tudo está na tomada de consciência e no envolvimento do indivíduo em um programa de tratamento informativo-educacional, que inclua supervisão dos medicamentos, intervenções comportamentais, na forma de terapias individuais e/ou de grupos para TDAs, e vinculação com programas de recuperação de dependentes.

Estamos, meu bem, por um triz/
Pro dia nascer feliz/
Pro dia nascer feliz/
O mundo acordar/
E a gente dormir

"Pro Dia Nascer Feliz"
(Cazuza e Frejat)

CAPÍTULO 10

A Difícil Tarefa de Dormir Bem

APRENDENDO A RELAXAR UM CÉREBRO A MIL POR HORA...

O sono é o momento em que nosso cérebro relaxa com o intuito de se recuperar do desgaste ocorrido durante o dia, na execução de suas intensas tarefas. Em se tratando de um cérebro TDA, surge uma problemática bastante complexa. Afinal, como é possível relaxar um cérebro que anda a 200km/h?

Os profissionais de saúde especializados e familiarizados com o funcionamento TDA estão cientes de que muitos deles apresentam problemas relacionados com o sono. Esses problemas estão presentes tanto no ato de adormecer bem como na manutenção de um sono qualitativamente relaxante. Por isso mesmo, os pacientes TDAs costumam se queixar de insônia e/ou intensa sensação de cansaço durante o dia.

Infelizmente, quase não existem estudos na literatura geral sobre TDA que expliquem suas dificuldades relacionadas ao sono, tanto no aspecto quantitativo como no qualitativo. Dormir em excesso, como ocorre com alguns TDAs, não significa de forma alguma dormir bem. O único dado concreto e compreensível que se tem nesse aspecto é a presença de pensamentos constantes, a uma velocidade tão intensa que acaba resultando em grande dificuldade para relaxar e dormir.

Em função das nossas próprias dificuldades de sono e da nossa consciência prática de como elas podem afetar o funcionamento físico e mental diário de uma pessoa, resolvemos incluir, de maneira rotineira, uma breve avaliação do sono em nossas entrevistas iniciais. Em pouco tempo, verificamos os benefícios práticos dessa conduta investigatória. Selecionamos todos os pacientes com TDA e procedemos a uma análise sistemática sobre o sono deles. O resultado foi bastante elucidativo: 85% de todos os pacientes com sintomas TDA sofriam de insônia, sono inquieto e fadiga diurna crônica. Essas alterações estão presentes, de forma constante, nos chamados distúrbios do sono, condição crônica que afeta diretamente a qualidade e a quantidade do sono de uma pessoa.

Após proceder a uma revisão em pesquisas médicas sobre os distúrbios do sono, pudemos observar a existência de uma relação íntima, documentada em vários desses estudos, entre TDA e tais distúrbios. Trata-se de uma "dobradinha" marcada por muita inquietação, insônia e cansaço. Entre os diversos tipos de distúrbios do sono, os que parecem estar mais relacionados com o TDA são: a síndrome das pernas inquietas, a síndrome dos movimentos periódicos dos membros e a apneia obstrutiva do sono.

O conhecimento e o tratamento dos distúrbios do sono são importantes para todas as pessoas que sofrem com essas alterações. Em geral, eles não são diagnosticados. Estima-se que uma parcela significativa da população mundial apresente alterações relacionadas com o sono. Só nos Estados Unidos, este número é em torno de 70 milhões de indivíduos, e a grande maioria não é diagnosticada nem tratada.

Para os TDAs, o assunto não é só importante, mas, acima de tudo, vital, uma vez que para eles a alteração qualitativa ou quantitativa resulta em um aumento da desatenção e da hiperatividade. Como consequência, também estarão afetados a qualidade dos desempenhos profissional e escolar, relacionamentos pessoais e o estado geral de saúde física e mental.

Síndrome das pernas inquietas

Caracteriza-se por uma sensação desconfortável de inquietação que toma conta das pernas ou braços (mais raro) na forma de uma movimentação imposta ao indivíduo, e costuma ocorrer quando a pessoa se encontra em descanso físico. Quando essa sensação se inicia, as pessoas são tomadas por uma vontade irresistível de mexer as pernas. A maioria encontra alívio com a execução de uma breve caminhada ou de exercícios que coloquem as pernas em movimento. A síndrome das pernas inquietas pode se manifestar quando o indivíduo está acordado ou dormindo. Quando ocorre na hora de dormir, as sensações, às vezes até dolorosas, e a inquietação contribuem diretamente para a ocorrência de insônia.

Das três condições citadas como alterações do sono mais comuns nos TDAs, a síndrome das pernas inquietas é a de maior facilidade diagnóstica, uma vez que costuma ocorrer quando a pessoa está acordada e, portanto, apta a lembrar e relatar o fato, quando questionada por um profissional de saúde.

Foi esse problema que motivou Rubens, 52 anos, contador, a procurar ajuda. Ele já não aguentava mais a rotina de ter que dar caminhadas tarde da noite para conseguir adormecer. Além de dormir mal, o tempo que perdia ainda lhe tirava pelo menos duas horas de sono, que acabavam fazendo falta para quem precisava acordar bem cedo todos os dias. Ele demorou a procurar ajuda, pois nunca tinha ouvido falar de algo semelhante, concluindo que pudesse ser estresse ou energia que precisava ser "descarregada".

A esposa de Rubens reclamava muito das caminhadas e sentia muita preocupação quando saía tarde da noite. Mas reclamava igualmente quando ele não caminhava e contorcia-se na cama, inquieto, remexendo as pernas. A solução encontrada por ela foi abrir um crédito e comprar "um destes aparelhos utilizados em academias": uma esteira.

Rubens tenta descrever essa sensação:

> *É uma agonia indefinível, difícil de explicar. Às vezes, parece que os músculos de minhas pernas estão contraídos, como se eu estivesse fazendo um grande esforço para saltar. O que eu sei é que preciso movimentá-los para aliviar a pressão. Sem isso não durmo, e acabo atrapalhando o sono de minha esposa também. Foi ela que insistiu para eu buscar ajuda. Até então, eu achava que fosse algo incômodo, mas não tratável.*

Rubens teve mais uma surpresa: além de seu estranho incômodo ser realmente um problema de saúde, também tinha algo chamado TDA.

Isso é que foi o mais engraçado. Depois de ter sido diagnosticado como portador da síndrome das pernas inquietas, também fui interpelado por minha médica sobre temas como desatenção, desorganização, impulsividade etc. Uma série de características minhas que eu creditava a algum problema de educação ou motivação de minha parte. Lá estava ela me fazendo aquelas perguntas que tinham tudo a ver comigo, quando eu tinha ido só falar sobre o meu problema de insônia. Pensei que ela fosse uma bruxa, uma médium. Depois me explicou que o meu problema poderia estar relacionado a algo chamado TDA. Foram duas surpresas boas em um dia: os dois diagnósticos. Só saber que eu era TDA tirou uma tonelada de meus ombros. Eu não era bagunçado porque queria ou porque era preguiçoso. Eu tinha dificuldades concretas mesmo!

Hoje em dia, Rubens ainda usa bastante sua esteira por causa dos efeitos benéficos para sua saúde, e não porque precisa dessa atividade para adormecer.

Síndrome dos movimentos periódicos dos membros

Caracteriza-se pela movimentação abrupta dos membros (braços e pernas) durante o sono. Costuma estar presente em 80% das pessoas que apresentam a síndrome das pernas inquietas. Em casos mais sérios, os movimentos podem chegar a ocorrer a cada 30 segundos.

A intensa movimentação dos braços e pernas faz com que o indivíduo apresente um sono superficial, em função de tornar-se parcialmente acordado inúmeras vezes durante a noite. Geralmente a pessoa não está ciente desses momentos de sono superficializados e, por isso mesmo, aquelas que não têm um parceiro na cama costumam não saber que apresentam esta condição. Nesses casos, o diagnóstico só poderá ser realizado através de uma polissonografia, que é um estudo específico feito através de monitoramento visual e auditivo do período de sono de uma pessoa. Às vezes, acopla-se a esses recursos audiovisuais um aparelho capaz de medir toda a atividade elétrica cerebral durante o mesmo período.

Os pais das crianças com TDA desconhecem, na maioria das vezes, que seus filhos promovem uma verdadeira guerra corporal com seus lençóis, travesseiros e pijamas durante o sono. No entanto, costumam relatar que suas camas amanhecem em total desalinho e que muitos se apresentam mal-humorados e cansados ao despertar.

Não se sabe exatamente o que causa a síndrome das pernas inquietas e a síndrome dos movimentos periódicos dos membros. Um grande número de médicos descreve tais síndromes como condições neurológicas hereditárias e que não costumam ser diagnosticadas. Alguns estudos sugerem que a deficiência de ferro e o excesso de cafeína (café, mate, refrigerantes) devem ser levados em consideração na determinação do diagnóstico e no tratamento dessas síndromes, uma vez que tais fatores têm sido associados a uma piora significativa nos sintomas de ambas.

O tratamento dessas síndromes é comum e costuma envolver medicamentos e intervenção comportamental. Eliminar a cafeína da dieta e enriquecê-la com frutas e verduras, bem como desenvolver uma atividade física regular, podem representar uma melhora significativa nos sintomas dessas alterações do sono. Quanto aos medicamentos utilizados, verifica-se que todos têm em comum o fato de atuarem em receptores cerebrais da dopamina. Isso reforça ainda mais os laços de familiaridade que parecem existir entre TDA e distúrbios do sono. Afinal, acredita-se que o transtorno do deficit de atenção tenha como uma de suas causas fatores hereditários relacionados com receptores da dopamina.

Apneia obstrutiva do sono

Caracteriza-se pela ocorrência, durante o sono, de episódios em que a passagem de ar pelas narinas e boca é interrompida. Essas pausas respiratórias são quase sempre acompanhadas de ronco, entre os episódios de apneia. Assim sendo, quase todas as pessoas que apresentam apneia obstrutiva do sono roncam, embora nem todos os indivíduos que roncam apresentem esse problema. Em casos mais graves, o número de episódios de apneia pode ser de 20 a 30 por hora, em uma noite. A apneia obstrutiva é considerada uma alteração séria, uma vez que essas interrupções do sono profundo e restaurador costumam causar dor de cabeça matinal, sonolência excessiva durante o dia, pressão arterial elevada e, em casos mais graves, isquemia cardíaca ou cerebral.

Infelizmente, a identificação da doença só costuma ocorrer quando o paciente encontra-se em um estágio avançado do problema.

Se a pessoa tiver um parceiro na cama, este poderá identificar a alteração ao deparar-se com uma pausa respiratória em meio a um padrão de roncos bem marcados.

Vários pacientes podem vivenciar uma sensação de sufocamento durante as pausas respiratórias. Para esses, o diagnóstico pode ser um pouco mais fácil em função de o paciente poder relatar uma vaga lembrança de sensações ruins ou ainda pelo "susto" causado no parceiro de cama ao deparar-se com a pessoa tendo uma reação de sufocamento.

É fundamental que todos os médicos considerem a possibilidade de apneia obstrutiva do sono toda vez que se defrontarem com um paciente que tenha entre suas queixas a presença de sonolência diurna e fadiga crônica. A melhor maneira de se confirmar o diagnóstico é a realização de uma polissonografia em laboratórios especializados.

O tratamento específico para essa condição deve ser planejado a partir de dados sobre a história pessoal do indivíduo (hábitos, vícios, estado civil, tabagismo etc.), de seus exames físicos e da polissonografia. A partir desse inventário, uma série de medidas pode ser prescrita ao paciente:

• eliminar ou diminuir o uso de cigarros;

• evitar bebidas alcoólicas;

• evitar calmantes ou hipnóticos;

• reduzir o peso corpóreo — isto é especialmente importante para os casos associados à obesidade;

• dormir de lado, em vez de dormir de bruços;

• uso constante de um CPAP (*nasal continuous pontive airway pressure*) — uma pequena máquina que bombeia suavemente o ar para dentro de uma máscara que fica sobre o nariz, impedindo assim a ocorrência da pausa respiratória. Essas máscaras podem ser prescritas por médicos e são extremamente confortáveis. Com o uso do CPAP, em poucos dias os pacientes relatam alívio intenso na sonolência diurna e na fadiga crônica.

Amadeu é engenheiro civil, tem 49 anos e resolveu procurar ajuda quando começaram a ficar mais frequentes as queixas de sua namorada que o acordava, apavorada, no meio da noite, dizendo que ele não estava respirando. Ele não sabe dizer se tem esse problema há muito tempo, pois a ex-esposa não comentava nada, a não ser o fato de ele roncar. Provavelmente, o problema foi piorando com a idade e à medida que Amadeu intensificava o uso de cigarros e bebida. Quem primeiro chamou sua atenção foi a atual companheira, com quem dorme alguns dias da semana. Sobre isso, ele relata:

> *Sempre soube que eu não tinha uma boa qualidade de sono. Já acordava cansado e, no resto do dia, literalmente me arrastava. O mau humor era a tônica, e sentia bastante dor de cabeça. Eu tinha a vaga consciência de acordar muito durante a noite e de uma sensação de abafamento, até porque sentia a garganta ressequida nestes momentos. Creditava isso a uma combinação de sono*

leve, estresse, alergia e aos roncos. Sobre os roncos eu já sabia bem. Provavelmente, foi um dos fatores que contribuíram para o fracasso de meu casamento, pois minha ex-mulher não conseguia dormir direito e, então, passamos a dormir em quartos separados. Talvez por isso, nunca soube das pausas na respiração.

Com a nova companheira é que Amadeu teve a oportunidade de descobrir que poderia ser algo diferente e mais sério. Cada um mora em sua casa, e, quando dormem juntos, ela faz questão de dormir abraçada. Nesses momentos é que ela percebeu a ocorrência de estranhos silêncios na respiração ruidosa do companheiro. Em uma das vezes, tocou o tórax de Amadeu e percebeu que ele não respirava durante esses silêncios. "Ela não esperava para saber se eu ia voltar a respirar ou não, me acordava desesperadamente, achando que eu estava tendo algum tipo de ataque ou síncope." Por fim, com a continuação desses episódios, Amadeu passou a ter receio de adormecer, e sua companheira já não dormia em paz, ficando atenta à respiração dele. "Comecei a ficar seriamente preocupado com minha saúde e também com as consequências que isso traria ao meu relacionamento. Não queria que fosse tudo por água abaixo novamente. Ela também já não dormia direito ao meu lado."

Amadeu consultou clínicos, cardiologistas e submeteu-se a exames. Após começar a fazer uso do CPAP e a mudar alguns hábitos nocivos, experimentou intenso alívio nos sintomas de fadiga e dor de cabeça. Só uma coisa ainda não "batia": os esquecimentos e a desorganização, que ele creditava ao "mal dormir", resistiam ao tratamento. Aliviado dos sintomas mais preocupantes, começou a notar a persistência de incômodas características. "Eu era tão confuso e bagunceiro que, certamente, se fosse empregado em alguma empresa e não tivesse minha própria consultoria, já teria sido demitido." Sua consultoria vai de vento em popa, porque ele conta com excelentes assistentes, que organizam e executam suas boas ideias, direcionam bem seu ímpeto empreendedor e monitoram seus afazeres e compromissos de modo que não se prejudique com isso. "Tenho em meus fiéis funcionários minha memória, minha atenção e minha concentração, já que não as tinha por conta própria. O interessante foi que isso continuou mesmo quando passei a ter um sono mais decente." Amadeu começou a desconfiar de que poderia ter algo a mais quando a ex-mulher lhe comunicou que o filho pré-adolescente do casal fora diagnosticado com algo chamado TDA. Os problemas enfrentados pelo filho eram muito semelhantes aos seus, e a ex-mulher comentou que o médico havia alertado sobre o componente genético do problema. Ela já havia se submetido a uma consulta e comprovado que não era TDA. "Ela disse brincando: deve ser você. Mas eu levei a sério. Procurei ajuda e não deu outra. Além disso, parece haver uma relação entre o meu problema de sono e o TDA. Então, tudo pra mim se encaixou."

Hoje em dia, tratando o TDA, ele vibra com a melhora de seus problemas no trabalho. Os funcionários já não ficam tão apreensivos com as falhas frequentes do chefe, que eles precisavam prevenir, detectar e remediar. Por conta disso, estão até mais produtivos para outras tarefas. "Mas ser organizado é chato mesmo, sabe? Eu até não sou tão distraído quanto antes, mas continuo deixando com eles a tarefa de traçarem meu roteiro", finaliza rindo, contente.

Fizemos questão de escrever este capítulo, em separado, para destacar duas questões que infelizmente vêm sendo ignoradas pela grande maioria dos médicos: distúrbios do sono e sua relação com o transtorno do deficit de atenção. A melhor maneira de contribuir para uma mudança real dessa situação é informar sobre sua ocorrência, possibilidades de identificação e formas de tratamento. Somente assim é possível falar em qualidade de vida para milhares de pessoas com TDA e que apresentam alguma alteração do sono como um problema coexistente.

Nada do que foi será/
De novo do jeito que já foi um dia/
Tudo passa/
Tudo sempre passará//
A vida vem em ondas/
Como um mar/
Num indo e vindo infinito

"Como uma Onda"
(Lulu Santos e Nelson Motta)

CAPÍTULO 11

Uma Breve História no Tempo

O LONGO PROCESSO DE IDENTIFICAÇÃO DO FUNCIONAMENTO TDA...

Em 1902, George Fredrick Still realizou uma série de palestras no Royal College of Physicians. Nestas palestras, Still falou sobre crianças que eram agressivas, desafiadoras, resistentes à disciplina, excessivamente emotivas e passionais, mostravam pouca "inibição à sua própria vontade", tinham dificuldades de seguir regras, eram desatentas, hiperativas, propensas a acidentes e ameaçadoras a outras crianças devido a atitudes hostis. De acordo com Still, essas crianças tinham um defeito maior e crônico "no controle moral".

Seu grupo de estudo era constituído por vinte crianças numa proporção de três garotos para cada garota. Seus comportamentos problemáticos haviam surgido antes dos 8 anos de idade. Em harmonia com as ideias dominantes da época, Still rotulou os pais dessas crianças como portadores de um "defeito de controle moral". No entanto, teve que reconhecer uma ligação hereditária no comportamento das crianças, ao perceber que alguns membros de suas famílias apresentavam problemas como depressão, alcoolismo e alterações de conduta. A ideia de que o comportamento poderia ter uma causa orgânica mais relevante do que simplesmente ser resultado de uma educação familiar inadequada foi um conceito arrojado para a época (início do século XX). Mesmo assim, tal perspectiva ganhou credibilidade, sendo inclusive publicada no *British Medical Journal*.

Aproximadamente duas décadas depois, médicos americanos estudaram crianças que apresentavam características comportamentais similares às descritas por Still. Mais do que isso, as crianças estudadas nesse período tinham em comum o fato de serem sobreviventes da pandemia de encefalite ocorrida entre 1917-18.

Numerosos estudos descreveram crianças com "distúrbio de comportamento pós-encefalite", em que eram destacados prejuízos na atenção, regulação da atividade física e controle dos impulsos. Em 1934, Kahn e Cohen publicaram um artigo no famoso *The New England Journal of Medicine*, onde afirmavam haver uma base biológica nessas alterações comportamentais, baseados em um estudo com as mesmas vítimas da epidemia de encefalite de Von Economo.

Em função desta correlação feita entre a encefalite e uma possível "deficiência moral", estabeleceu-se, na época, um fundamento de caráter generalista e, por isto, errôneo para explicar o funcionamento TDA: outras crianças que não foram expostas ao surto de encefalite, mas que apresentavam sintomas similares, deviam ter sofrido um certo dano cerebral de alguma outra forma. Criou-se assim o termo "cérebro danificado ou lesionado" para descrever tais crianças. Reconheceram também que muitas delas, embora diferentes de outras com a mesma faixa etária, se mostravam muito espertas e inteligentes para serem portadoras de uma lesão cerebral de qualquer extensão. Esse fato acabou originando um novo termo: "lesão cerebral mínima", que se tornou popularmente conhecido e completamente disseminado, apesar de não haver lesão cerebral óbvia, ou, pelo menos, nenhuma que pudesse ser evidenciada por um teste ou exame médico objetivo.

A partir disso, pensou-se que crianças sem qualquer história ou sinais de traumas físicos apresentassem lesões cerebrais pelo simples fato de manifestarem os referidos sintomas comportamentais. Esse termo foi posteriormente mudado para "disfunção cerebral mínima" por falta de evidências diretas e objetivas que pudessem constatar a presença de lesões cerebrais.

Em 1937, Charles Bradley acabou por fazer uma descoberta acidental: as anfetaminas (medicamentos estimulantes do sistema nervoso central) ajudavam crianças hiperativas a se concentrarem melhor. Ele observou que muitas crianças, especialmente aquelas que eram hiperativas e/ou impulsivas, com o uso de anfetaminas, apresentavam significativa redução em seu comportamento tão "perturbador". Foi uma descoberta contrária à lógica que acabou por levar ao surgimento do conceito de efeito paradoxal (efeito contrário ao esperado com uso de determinada medicação).

O termo "hiperatividade infantil" foi usado por Laufer em 1957 e por Stella Chess em 1960. Laufer acreditava que a síndrome seria uma patologia exclusiva de crianças do sexo masculino e teria sua remissão ao longo do crescimento natural do indivíduo.

Já Stella Chess isolou o sintoma da hiperatividade de qualquer noção de lesão cerebral. Chess encarava os sintomas como parte de uma "hiperatividade fisiológica", cujas causas estariam enraizadas mais na biologia (genética individual) do que no meio ambiente (como causador de lesão). Daí o termo "síndrome da criança hiperativa".

Reação hipercinética da infância foi o termo usado pela Associação de Psiquiatria Americana (APA) ao publicar o *Manual Diagnóstico e Estatístico de Transtornos Mentais* (DSM-II), em 1968.

Os novos termos tiveram grande validade para as crianças que apresentavam hiperatividade como parte de seus sintomas. Muito embora tendessem a ignorar o fato de que um grande número de crianças apresentasse deficits de atenção sem qualquer sinal de hiperatividade. Era evidente que mais pesquisas deveriam ser realizadas para responder a essas e outras questões.

Em 1973, o Dr. Ben Feingold apresentou à Associação Médica Americana vários estudos que estabeleciam uma ligação entre determinados alimentos e aditivos químicos e o comportamento e a habilidade de aprendizagem de certos indivíduos. Essa teoria ganhou a simpatia de uma grande parcela da população americana, mas não foi bem aceita pela comunidade médica dominante da época.

Ainda na década de 1970, o foco das pesquisas começou a mudar da hiperatividade para as questões atentivas. Isso ocorreu graças à teoria apresentada por Virginia Douglas. Para ela, o deficit em manter a atenção poderia surgir sob condições em que não houvesse hiperatividade. Assim, Virginia ampliou a percepção dessa síndrome comportamental, dando destaque especial ao deficit de atenção, anteriormente subvalorizado.

Uma nova percepção surgiu em 1976. Nesse ano, Gabriel Weiss mostrou, através de estudos realizados a longo prazo, que, quando as crianças atingem a adolescência, a hiperatividade pode diminuir; entretanto, os problemas de atenção e impulsividade tendem a persistir. O consenso anterior tratava a síndrome como uma alteração exclusiva da infância e que, de alguma forma, "desapareceria" na adolescência e na vida adulta.

Essa foi uma contribuição decisiva para que esse tipo de funcionamento cerebral fosse reconhecido na população adulta.

A forma adulta foi oficialmente reconhecida em 1980, com a publicação do DSM-III pela Associação Americana de Psiquiatria, que trouxe mudanças importantes em diversos pontos: desvinculou a nomeação da síndrome de seus aspectos etiológicos (fatores causais) e deu destaque aos aspectos clínicos (sintomas); enfatizou a questão atentiva como sintoma nuclear da alteração; identificou a forma adulta, na época nomeada de "tipo residual", e renomeou a síndrome para distúrbio do deficit de atenção (DDA).

Durante toda a década de 1980, centenas de estudos foram publicados sobre o assunto, fazendo do TDA, pelo menos

nos Estados Unidos, a alteração comportamental infantil mais estudada.

Em 1994, a Associação Americana de Psiquiatria publicou o DSM-IV. Nessa atualização, o distúrbio do deficit de atenção foi renomeado para transtorno do deficit de atenção/hiperatividade (TDAH) e dividido em três subtipos básicos:

- tipo predominantemente desatento: quando os sintomas de desatenção são mais marcantes;
- tipo predominantemente hiperativo/impulsivo: quando os sintomas de hiperatividade e impulsividade estão presentes em proporções significativas e equivalentes;
- tipo combinado: quando os sintomas de desatenção e de hiperatividade/impulsividade estão presentes no mesmo grau de intensidade.

Atualmente, o DSM-IV é um consenso quando se fala em diagnóstico de TDA. Isso ocorre por conta de três aspectos básicos oficializados e destacados nesta classificação: 1) os sinais e sintomas listados são os mesmos para crianças, adolescentes e adultos, com a adequada ressalva de serem menos intensos nas fases mais amadurecidas da vida dos indivíduos; 2) o reconhecimento do subtipo predominantemente desatento. Um fato que pode ajudar a reverter a situação de subdiagnóstico em relação às mulheres, já que entre elas predominam os sintomas de desatenção em detrimento dos sintomas de hiperatividade/impulsividade; e 3) o destaque das dificuldades pessoais causadas pelos sintomas de TDA no contexto familiar, profissional, acadêmico ou social da vida de cada indivíduo.

Apesar de toda essa evolução ocorrida nos últimos anos no processo de identificação do funcionamento TDA, o panorama no Brasil ainda é um tanto desanimador. Neste exato momento, milhares de pessoas, entre crianças, adolescentes e adultos, passam por inúmeros desconfortos pessoais e/ou sociais em função de seus problemas na área da atenção e do controle de seus impulsos e hiperatividade física e/ou mental. Às crianças são imputados rótulos pejorativos como "pestinhas", "mal-educadas", "rebeldes", "agressivas", "sonhadoras", "cabeças de vento". Aos adultos também são atribuídos rótulos, não menos pejorativos, tais como "explosivos", "aéreos", "brigões", "egoístas".

Para fazer frente a essa situação só existe um caminho: o da informação. É através dela que o grande público, pais e educadores, principalmente, poderão reconhecer os sintomas no comportamento TDA de suas crianças e, quem sabe, em suas próprias vidas.

Quanto à comunidade médica, a informação também adquire papel fundamental, notadamente no reconhecimento da forma adulta da síndrome, uma vez que há muito pouca interação entre médicos psiquiatras e neurologistas, sejam eles especializados em adultos ou em crianças. Essa falta de intercâmbio de informações acaba por não permitir a construção de uma história linear que possa criar um raciocínio construtivo para a identificação do comportamento TDA.

É chegada a hora de os profissionais de saúde entenderem, de uma vez por todas, que o objetivo final de seu trabalho é o bem-estar do ser humano que, por vício profissional, costuma-se chamar de paciente. Psiquiatras, neurologistas, psicólogos, psicanalistas, fonoaudiólogos e pediatras precisam ter em mente que conhecimentos, e principalmente a troca amigável deles, obedecem a uma equação somatória e não de divisão de poder. Ter o poder de acertar um diagnóstico é algo infinitamente mesquinho quando comparado ao poder de ajudar um ser humano a viver com a dignidade de uma existência menos desconfortável e angustiante. Esse talvez seja o maior legado que o tempo poderá trazer aos TDAs. Afinal, essa breve história merece um final feliz.

Que venha esse novo tempo, em que a intercomunicação do conhecimento não seja só "global-virtual", mas sim real e cotidiana.

Quando nasci veio um anjo safado/
O chato dum querubim/
E decretou que eu tava predestinado/
A ser errado assim/
Já de saída a minha estrada entortou/
Mas vou até o fim

"Até o Fim"
(Chico Buarque)

CAPÍTULO 12

A Origem da Questão

A CIÊNCIA FINALMENTE NO RUMO CERTO DO ENTENDIMENTO DE UM CÉREBRO TDA...

O transtorno do deficit de atenção deriva de um funcionamento alterado no sistema neurobiológico cerebral. Isso significa que substâncias químicas produzidas pelo cérebro, chamadas neurotransmissores, apresentam-se alteradas quantitativa e/ou qualitativamente no interior dos sistemas cerebrais, que são responsáveis pelas funções da atenção, impulsividade e atividade física e mental no comportamento humano. Trata-se de uma disfunção, e não de uma lesão, como anteriormente se pensava.

O cérebro de um TDA, em forma e aparência, em nada difere dos cérebros que não apresentam um funcionamento TDA; a diferença está no íntimo dos circuitos cerebrais que são movidos e organizados pelos neurotransmissores, que seriam os combustíveis que alimentam, modulam e fazem funcionar todas as funções cerebrais. Assim, os neurotransmissores seriam a gasolina dos carros, as quedas-d'água que geram a energia das grandes hidrelétricas ou mesmo a energia atômica das usinas nucleares.

A compreensão do componente neurobiológico no funcionamento do transtorno do deficit de atenção foi revolucionária para o tratamento do problema, uma vez que mudou a forma de pensar sobre todo o processo vital de seus portadores. Essa nova visão tornou-se unanimidade na comunidade médica na década de 90 e foi o pilar gerador da eficiência que os tratamentos medicamentosos alcançaram na melhoria da qualidade de vida dos TDAs. É claro que um longo caminho de pesquisas ainda deve ser percorrido, tendo em vista que o mecanismo exato que rege o comportamento TDA ainda não é totalmente compreendido. Tem-se a ponta do *iceberg* e isto se deve à enorme complexidade dos sistemas cerebrais, em especial o sistema atentivo, que é o principal responsável pelo estado de consciência humana. A existência se traduz na capacidade do ser humano de atentar para si mesmo (como indivíduo único) e para todo o mundo ao seu redor. E, na verdade, esta é a essência da vida humana: relacionar-se consigo mesmo e com os outros, sem perder a individualidade e, simultaneamente, contribuir com o todo universal.

Os passos no sentido de definir a anatomia e a bioquímica dos cérebros TDAs foram de gigante, em termos científicos. Cada um deles forneceu a certeza de que esse transtorno não é uma simples incapacidade moral para se comportar, se interessar pelo mundo ao seu redor, ou ainda uma falta de vontade de acertar-se profissional, afetiva ou socialmente. Isso tira da fronteira da "marginalidade social" (daqueles que estão à margem da sociedade) milhares de pessoas que, se pudessem ser tratadas, orientadas e organizadas, poderiam estar desempenhando suas potencialidades ou mesmo seus talentos especiais, contribuindo, assim, para uma sociedade mais aprazível de se viver.

"No longo caminho entre a arrumação genética e a entrada na escola, milhares de coisas podem dar errado no cérebro de um indivíduo" (Arnold, 1995). Tal afirmação traduz bem a longa história da ciência, rumo ao entendimento de como funciona um cérebro TDA e seus muitos fatores causais. Onde essa história se iniciou, não se sabe dizer; no entanto, a mudança no "foco" da questão possibilitou retirar o TDA da esfera moralista e punitiva e levá-lo para uma esfera científica e passível de tratamento. E isso é o que realmente importa.

Os diversos fatores causais que estão envolvidos no funcionamento do cérebro TDA são:

Fatores genéticos

Todos os estudos científicos indicam que fatores genéticos desempenham importante papel na gênese do transtorno do deficit de atenção. Isso é constatado por estudos epidemiológicos que mostraram uma maior incidência do problema entre parentes de crianças com TDA em comparação com parentes de crianças não TDAs. Se bem que, até o momento, não se dispõe de mecanismos que possam determinar a probabilidade estatística exata de adultos com TDA terem filhos com este mesmo funcionamento mental. Deve-se, nesse caso, afirmar que o transtorno possui um caráter hereditário, sem um grau de probabilidade determinado.

Estudos realizados em gêmeos idênticos, ou seja, que possuem o mesmo material genético, apresentaram concordância na faixa de 50%. Isso nos faz pensar que o fator hereditário (genético) é importante, mas não o único na manifestação do comportamento TDA, pois, se assim fosse, a concordância entre gêmeos idênticos deveria ser de 100%.

Alterações estruturais e funcionais no TDA

Os indícios mais fortes de que o transtorno do deficit de atenção apresenta uma alteração na estrutura cerebral de seus portadores vêm dos inúmeros estudos realizados por meio de exames de neuroimagem. Essa categoria de exames visa a obter imagens que mostrem o funcionamento do cérebro e não só sua imagem estática. Dentre eles, podemos citar o PET (tomografia por emissão de pósitrons) e o SPECT (tomografia por emissão de fóton único); ambos podem visualizar tanto a estrutura como a atividade das regiões cerebrais em determinado momento.

As conclusões desses estudos foram unânimes em descrever uma hipoperfusão cerebral localizada mais significativamente na região pré-frontal e pré-motora do cérebro. Essa hipoperfusão significa que a região frontal, nas pessoas com TDA, recebe um menor aporte sanguíneo do que deveria e, como consequência, há uma diminuição do metabolismo nesta área, que, ao receber menos glicose (oriunda do sangue), terá menos energia e funcionará com seu desempenho reduzido. Se nos lembrarmos de que o lobo frontal é o principal responsável pela ação reguladora do comportamento do ser humano, podemos avaliar que o seu hipofuncionamento está diretamente ligado às alterações funcionais apresentadas no transtorno do deficit de atenção. A forma como o lobo frontal regula o comportamento ocorre pelo exercício das seguintes funções: fazer manutenção dos impulsos sob controle; planejar ações futuras; regular o estado de vigília; "filtrar" estímulos irrelevantes, que são responsáveis por nossa distração; acionar as reações de luta e fuga; estabelecer conexão direta com o sistema límbico (centro das emoções), com o centro da fome e da sede; regular a sexualidade, o grau de disposição física e mental e muitos outros impulsos de aspecto fisiológico.

Em última análise, conclui-se que a ação reguladora do comportamento humano é feita pelo lobo frontal, que exerce uma série de funções de caráter inibitório, cabendo a ele puxar o freio de mão do cérebro humano no que diz respeito aos seus pensamentos, impulsos e velocidade de suas atividades físicas e mentais. E é justamente isso que falha no cérebro do TDA, seu filtro ou freio perde eficácia reguladora por receber menos glicose, sua fonte maior de energia, em função da já citada hipoperfusão sanguínea da região frontal. Sem "freio", o cérebro TDA terá uma atividade muito mais intensa, será bombardeado por uma tempestade de pensamentos e impulsos numa velocidade muito acima da média. Isso irá ocasionar uma grande desorganização interna que, muitas vezes, encobrirá potencialidades, aptidões, talentos e muita inteligência, num grande emaranhado mental.

Foi visto até aqui que a sede estrutural do transtorno do deficit de atenção está localizada no lobo frontal; no entanto, não se pode esquecer que não existe um compartimento estanque na organização cerebral. Todas as regiões interligam-se, formando uma grande rede de informações que constitui a base do comportamento humano. Essas informações são passadas de neurônio a neurônio, de regiões a regiões, pelos neurotransmissores que irão determinar a ativação ou a inibição destas, modulando, assim, o agir dos indivíduos.

No caso específico do transtorno do deficit de atenção, os neurotransmissores mais participativos, nesse processo de desregulagem no funcionamento do lobo frontal, seriam as catecolaminas, que incluem a noradrenalina e a dopamina. Em 1970, C. Kornetsky descreveu sua hipótese das catecolaminas na tentativa de explicar os sintomas do TDA. Sua hipótese foi postulada a partir da observação clínica de que estimulantes como a Ritalina® e algumas anfetaminas produziam grande efeito terapêutico em portadores de TDA. Partindo do conhecimento científico de que esses estimulantes aumentam a quantidade dos neurotransmissores noradrenalina e dopamina, Kornetsky passou a acreditar que o funcionamento TDA seria, talvez, consequência de uma baixa produção ou uma subutilização desses neurotransmissores. Essa hipótese continua sendo bastante defendida nos dias atuais, mesmo que muitos estudos recentes apontem para a participação de outros neurotransmissores no funcionamento bioquímico do cérebro TDA. A serotonina, "estrela" na bioquímica da depressão, parece ter seu papel de coadjuvante nessa dança tão complexa que ocorre nos cérebros de pessoas com TDA. Só o tempo poderá nos dizer, com suas verdades inevitáveis, o papel de cada neurotransmissor nessa orquestra TDA. Entretanto, os "sinais" de que se dispõe hoje dão a certeza de que os sistemas neuroquímicos (da química cerebral) encontram-se alterados nas pessoas com TDA, e nisto reside a origem do problema.

Fatores ambientais (externos)

Além da hipótese genética, a ocorrência do TDA está muitas vezes correlacionada a complicações durante a gravidez e no parto, inclusive com relatos de traumatismos neonatais. Nesse aspecto, as alterações encontradas nos sistemas dopaminérgicos, serotoninérgicos e outros eventuais neurotransmissores não seriam provocadas por registros individuais herdados de seus antepassados (origem genética), e sim por acidentes ocorridos durante o período gestacional ou posterior a este. Como exemplo dessa situação, podemos citar: hipóxia (privação de oxigenação suficiente) pré e pós-natal, traumas obstétricos, rubéola intrauterina e outras infecções, encefalite e meningite pós-natal, traumatismo cranioencefálico (TCE), deficiência nutricional e exposição a toxinas.

Corroborando os fatores externos no surgimento do comportamento TDA, encontram-se inúmeros trabalhos que estabelecem uma correlação bastante significativa entre crianças que têm peso corporal muito baixo ao nascerem e uma probabilidade maior de apresentarem na idade adulta dificuldades atentivas e comportamentais bem marcadas.

Visão multifatorial

Como se pôde observar, o conhecimento sobre a origem do TDA ainda é limitado. Por essa razão, deve-se ter a humildade de saber que a chave que abre o funcionamento TDA — e que talvez não seja a única — pode ser uma ferramenta capaz de abrir várias portas e deixar passar conteúdos distintos que, "misturados" em proporções individualizadas, permitam a formação dos diversos comportamentos TDAs.

Essa visão parece-nos apropriada, uma vez que nenhuma hipótese sobre a origem do funcionamento TDA mostrou-se, por si só, capaz de explicar todos os casos do transtorno. Destaca-se ainda o fato de que o estresse provocado por ambientes desestruturados, ou mesmo o aumento de demandas no desempenho pessoal ou social, pode exacerbar em grande escala os sintomas do TDA. Assim também, fatores estressantes somados podem alterar a bioquímica de um cérebro geneticamente predisposto e levá-lo a manifestar comportamentos semelhantes ao de uma pessoa TDA.

Essa compreensão abre a possibilidade de se identificar e, consequentemente, ajudar pessoas com comportamento equivalente ao TDA, sem história genética positiva. Com isso se pode compreender que a genética não é uma fatalidade, mas sim uma probabilidade, de fato, das mais importantes. No entanto, sua manifestação sofre influências externas, que poderão contribuir para que esta seja favorável ou desfavorável à vida do indivíduo.

Me fiz em mil pedaços/
Pra você juntar/
E queria sempre achar/
Explicação pro que eu sentia

"Quase sem Querer"
(Renato Russo, Renato Rocha e
Dado Villa-Lobos)

CAPÍTULO 13

Diagnóstico do TDA

A SABEDORIA EM DIRECIONAR SUA FORMA DE SER PERANTE AS INÚMERAS OBRIGAÇÕES IMPOSTAS PELA VIDA...

Estabelecer critérios para a identificação de uma pessoa TDA sempre foi um grande desafio enfrentado pela psiquiatria e a psicologia. Na realidade, isso ocorre em quase todos os transtornos psiquiátricos, uma vez que não se dispõe, até o momento, de um teste ou exame específico que, por si só, identifique o TDA. Na era *high tech* da medicina nuclear, dos exames computadorizados, dos transplantes e das terapias genéticas, as ciências que estudam o cérebro e o comportamento humano ainda têm como maior e melhor ferramenta a velha e boa anamnese. Esta consiste em uma conversa detalhada sobre toda a história de vida de um indivíduo, desde sua gestação até os dias atuais. Surge aí a primeira grande dificuldade em se fazer o diagnóstico de TDA em adultos, já que, muitas vezes, não é possível colher dados com seus pais ou com seus cuidadores infantis; resta, apenas, o seu próprio relato, que, obviamente, será deficiente em vários registros importantes.

Levando-se em consideração que o transtorno do deficit de atenção, a nosso ver, é muito mais um tipo de funcionamento cerebral diferente do que propriamente uma doença, estamos diante de uma problemática bastante pertinente e, ao mesmo tempo, desafiadora, que é a delimitação da fronteira diagnóstica entre o dito normal e o dito TDA. Que criatura neste mundo não se viu envolta em atos desatentos, impulsivos ou mesmo hiperativos? Com certeza, o mundo não é TDA! As diferenças são sutis como as variações que se encontram nos diversos tons de uma mesma cor, ou mesmo na intensidade da luz na transição do final da tarde e início da noite. Mas uma coisa é certa: o funcionamento mental TDA existe e suas sutis diferenças são, muitas vezes, responsáveis por seus grandes talentos e/ou por suas grandes limitações na vida cotidiana.

A partir dos detalhes descritos, costuma-se afirmar que o melhor critério para se diagnosticar o TDA é a própria história pessoal vista pelos mais diversos ângulos de sua existência: escolar, profissional, familiar, social e afetiva. A visão global é que nos dará oportunidade de criar, de maneira empírica, porém bastante adequada, o critério para se estabelecer a necessidade de tratamento para essa alteração. Um TDA, na realidade, precisa muito mais de um ajuste no seu comportamento do que de um tratamento, e o que determina sua necessidade é o desconforto sofrido por ele na sua vivência diária. Em outras palavras, se um TDA vem sofrendo com seus esquecimentos, desorganizações, impulsos ou com sua agitação física e mental, deve procurar ajuda, visando estabelecer um equilíbrio entre sua forma de ser e as obrigações e encargos impostos por sua vida, principalmente na fase adulta.

Podem-se estabelecer assim algumas etapas fundamentais no processo de diagnóstico do transtorno do deficit de atenção:

1ª Etapa: Procurar um médico especializado no assunto para que você possa expor suas ideias sobre a possibilidade de possuir esse tipo de funcionamento comportamental.

2ª Etapa: Relacionar para ele suas dificuldades e desconfortos nas áreas acadêmica, profissional, afetivo-familiar e social, citando exemplos situacionais claros.

3ª Etapa: Verificar se esses problemas o acompanham desde a infância.

4ª Etapa: Certificar-se de que suas alterações se apresentam em um grau (intensidade) significativamente maior quando comparado a outras pessoas de seu convívio, que se encontram na mesma faixa etária e em condições socioculturais semelhantes.

5ª Etapa: Eliminar a presença de qualquer outra situação médica ou não médica que seja capaz de explicar as alterações apresentadas no seu comportamento, bem como os transtornos que elas lhe causam no dia a dia.

Como fazer o diagnóstico do TDA

Para se realizar o diagnóstico do transtorno do deficit de atenção em adultos, é fundamental e imprescindível detectar as alterações primárias na história infantil do indivíduo, uma vez que não é possível que uma pessoa passe a ter TDA na fase adulta da vida. Por essa razão, existe atualmente uma postura de consenso na comunidade médica em se adotar o sistema americano de diagnóstico conhecido pela sigla DSM-IV (*Diagnostic and Statistical Manual of Mental Disorders*),[1] desenvolvido pela Associação Americana de Psiquiatria. Além de relacionar critérios para a identificação do TDA em crianças, este manual permite que o diagnóstico seja feito em adolescentes e adultos, mesmo que os sintomas já não se apresentem tão intensos como na fase inicial de suas vidas.

Para essa situação, o DSM-IV usa o termo, bastante apropriado, de remissão parcial. Assim, os sinais e sintomas listados nessa classificação são os mesmos para crianças, adolescentes e adultos, com a pertinente ressalva de que o "colorido" (intensidade) encontrado na infância apresenta-se menos marcante nas fases mais adiantadas e amadurecidas da vida desses indivíduos.

Esse aspecto de esmaecimento dos sintomas TDA, que ocorre com o passar do tempo, dá-nos a possibilidade de considerar que o transtorno refere-se muito mais a um funcionamento cerebral/mental alterado e diferenciado do indivíduo do que propriamente a uma alteração patológica preestabelecida. Isso porque a evolução do TDA segue o mesmo rumo dos indivíduos ditos "normais", que, do mesmo modo e com o avançar do tempo, desenvolvem um controle mais apurado de seus impulsos, de sua atenção e de suas atividades motoras e psíquicas.

---

1. Em português: *Manual Diagnóstico e Estatístico dos Transtornos Mentais*, 4ª edição.

A classificação americana traz ainda outro ponto bastante elucidativo para a compreensão e o diagnóstico do TDA. Ela destaca o aspecto nuclear desta alteração e que dá nome à mesma: a desatenção, ou melhor, a instabilidade atentiva. Isso ocorreu pela denominação dos subtipos criados nesta classificação. São eles:

- Tipo combinado: ocorre quando seis (ou mais) sintomas de desatenção estão presentes com seis (ou mais) sintomas de hiperatividade e impulsividade por um período mínimo de seis meses. A maioria das crianças e adolescentes enquadra-se nessa categoria.
- Tipo predominantemente desatento: nesse caso temos seis (ou mais) sintomas de desatenção com ausência ou pequena presença (menos de seis) dos sintomas de hiperatividade e impulsividade há pelo menos seis meses.
- Tipo predominantemente hiperativo-impulsivo: ocorre quando seis (ou mais) sintomas de hiperatividade e impulsividade estão presentes entre os sintomas de desatenção menos observáveis, nos últimos seis meses.

Como a subclassificação é feita com base em uma fase da vida de um indivíduo (no caso, os últimos seis meses), nada impede que uma mesma pessoa seja enquadrada em mais de um subtipo em determinado momento de sua vida. Isso tem importância por levar em conta que fases estressantes na vida de um TDA podem levá-lo a exacerbar certos sintomas, em detrimento de outros. Tal fato pode, também, ser decisivo no ajuste da terapia medicamentosa e na orientação psicoterápica em um determinado momento atípico na vida de uma pessoa TDA.

Deve-se destacar ainda que o reconhecimento do subtipo predominantemente desatento contribuiu para a realização do diagnóstico do TDA em mulheres, que normalmente são subdiagnosticadas. Na maioria das mulheres com TDA os sintomas de desatenção são mais marcantes do que os de hiperatividade e impulsividade. Esse aspecto está exposto com mais detalhes no capítulo "Mulheres e TDA".

O DSM-IV traz à tona ainda um aspecto individual para os portadores de TDA que, em quase 100% dos casos, torna-se o motivo pelo qual o indivíduo procura ajuda especializada. Esse aspecto seria a presença de prejuízos e consequentes problemas causados pelos sintomas TDA em, pelo menos, duas áreas ou contextos vitais de um indivíduo: familiar, profissional-escolar ou social.

A seguir, tem-se uma tabela com os critérios diagnósticos para TDA extraídos do DSM-IV-TR,[2] em sua íntegra:

Critérios Diagnósticos para Transtornos de Déficit de Atenção/Hiperatividade

A. Ou (1) ou (2)

(1) seis (ou mais) dos seguintes sintomas de desatenção persistiram por pelo menos seis meses em grau mal-adaptativo e inconsistente com o nível de desenvolvimento:

Desatenção:

- (a) frequentemente não presta atenção a detalhes ou comete erros por omissão em atividades escolares, de trabalho ou outras
- (b) com frequência tem dificuldades para manter a atenção em tarefas ou atividades lúdicas
- (c) com frequência parece não ouvir quando lhe dirigem a palavra
- (d) com frequência não segue instruções e não termina seus deveres escolares, tarefas domésticas ou

2. *Manual Diagnóstico e Estatístico de Transtornos Mentais*, 4ª edição. Texto revisto.

deveres profissionais (não devido a comportamento de oposição ou incapacidade de compreender instruções)

(e) com frequência tem dificuldades para organizar tarefas e atividades

(f) com frequência evita, demonstra ojeriza ou reluta em envolver-se em tarefas que exijam esforço mental constante (como tarefas escolares ou deveres de casa)

(g) com frequência perde coisas necessárias para tarefas ou atividades (p. ex., brinquedos, tarefas escolares, lápis, livros ou outros materiais)

(h) é facilmente distraído por estímulos alheios à tarefa

(i) com frequência apresenta esquecimento em atividades diárias

(2) seis (ou mais) dos seguintes sintomas de hiperatividade persistiram por pelo menos 6 meses, em grau mal-adaptativo e inconsistente com o nível de desenvolvimento:

Hiperatividade:

(a) frequentemente agita as mãos ou os pés ou se remexe na cadeira

(b) frequentemente abandona sua cadeira na sala de aula ou outras situações nas quais se espera que permaneça sentado

(c) frequentemente corre ou escala em demasia, em situações impróprias (em adolescentes e adultos, pode estar limitado a sensações subjetivas de inquietação)

(d) com frequência tem dificuldade para brincar ou se envolver silenciosamente em atividades de lazer

(e) está frequentemente "a mil" ou muitas vezes age como se estivesse "a todo vapor"
(f) frequentemente fala em demasia

Impulsividade:

(g) frequentemente dá respostas precipitadas antes das perguntas terem sido completamente formuladas
(h) com frequência tem dificuldade para aguardar sua vez
(i) frequentemente interrompe ou se intromete em assuntos alheios (p. ex., em conversas ou brincadeiras)

B. Alguns sintomas de hiperatividade-impulsividade ou desatenção causadores de comprometimento estavam presentes antes dos sete anos de idade.
C. Algum comprometimento causado pelos sintomas está presente em dois ou mais contextos (p. ex., na escola [ou trabalho] e em casa).
D. Deve haver claras evidências de um comprometimento clinicamente importante no funcionamento social, acadêmico ou ocupacional.
E. Os sintomas não ocorrem exclusivamente durante o curso de um Transtorno Global do Desenvolvimento, Esquizofrenia ou outro Transtorno Psicótico, nem são melhores explicados por outro transtorno mental (p. ex., Transtorno do Humor, Transtorno de Ansiedade, Transtorno Dissociativo ou um Transtorno da Personalidade).

Codificar com base no tipo:

314.01 Transtorno de Déficit de Atenção/Hiperatividade, Tipo Combinado: se tanto o Critério A1 quanto o Critério A2 são satisfeitos durante os últimos 6 meses.

314.00 Transtorno de Déficit de Atenção/Hiperatividade, Tipo Predominantemente Desatento: se o Critério A1 é satisfeito, mas o Critério A2 não é satisfeito durante os últimos 6 meses.

314.01 Transtorno de Déficit de Atenção/Hiperatividade, Tipo Predominantemente Hiperativo-Impulsivo: se o Critério A2 é satisfeito, mas o critério A1 não é satisfeito durante os últimos 6 meses.

Nota para codificação: Para indivíduos (em especial adolescentes e adultos) que atualmente apresentam sintomas que não mais satisfazem todos os critérios, especificar "Em Remissão Parcial"

Testes psicológicos também podem ser instrumentos úteis para auxiliar o processo diagnóstico do TDA. Para crianças, um dos mais aceitos e largamente utilizados é o WISC (*Wechsler Intelligence Scale for Children*), teste de inteligência e execução composto de subescalas para habilidades verbais, espaciais, de atenção, entre outras. O WAIS (*Wechsler Adult Intelligence Scale)* é um teste de características semelhantes, desenvolvido para a população adulta. Os resultados de tais subescalas, quando apresentam determinadas discrepâncias, podem fornecer indicativos para o diagnóstico do TDA. Existem ainda vários outros testes e escalas, e as vantagens da aplicação de um ou de outro podem ser avaliadas pelo médico, psicólogo ou outro profissional habilitado.

É importante lembrar que tais testes podem apresentar falsos negativos ou falsos positivos. Algumas variáveis podem influenciar a disposição do examinando no momento de sua aplicação. Por exemplo, a novidade e a excitação de estar sendo submetido a um teste, aliado ao fato de ser frequentemente uma situação de um-para-um (examinador e examinando), podem levar o examinando a hiperfocar e, assim, elevar os prováveis escores que normalmente apresentaria nas subescalas de atenção. Falsos positivos podem ocorrer se, no momento da aplicação, o examinando estiver ansioso, estressado ou apresentando algum transtorno.

Logo, os testes devem ser aplicados juntamente com outras formas de avaliação e diagnóstico. Eles fornecem informações valiosas e complementares que podem ser bastante úteis, embora não possam ser usados como ferramentas centrais para o diagnóstico.

Viver e não ter a vergonha de ser feliz/
Cantar, e cantar, e cantar/
A beleza de ser um eterno aprendiz/
ai meu Deus, eu sei (eu sei)/
Que a vida devia ser bem melhor/
E será, mas isso não impede que eu repita/
É bonita, é bonita, e é bonita

"O Que É, o Que É"
(Gonzaguinha)

CAPÍTULO 14

Em Busca do Conforto Vital — Tratamento do Deficit de Atenção

A IMPORTÂNCIA DA INDIVIDUALIDADE E DO CONFORTO SOCIAL...

Em psiquiatria, muito mais do que nas outras especialidades médicas, as discussões sobre os conceitos de causa, doença, saúde, cura e tratamento sempre provocaram grandes confrontos de posições que ultrapassaram os limites da "ciência médica" e enveredaram por campos diversos como o da filosofia, da política e até da religião. Fato completamente justificado por se tratar de uma especialidade que não lida apenas com células, tecidos, genes, órgãos e enzimas, mas também com a enigmática e complexa mente humana. Os avanços nos estudos do cérebro humano têm sido fantásticos nos últimos anos, mas as consequências na prática psiquiátrica em si chegam a ser decepcionantes em vários aspectos.

Talvez isso ocorra porque a divulgação dessa avalanche de novos dados sobre o funcionamento cerebral tenha sido feita de modo a equiparar esse cérebro com o funcionamento da mente humana. Obviamente, trata-se de um tipo de instrumento que deve ser utilizado da melhor maneira possível, mas sem perder de vista a subjetividade comportamental, que faz com que a manifestação de uma determinada disfunção cerebral seja diferente em cada pessoa. Isso se deve aos fatores ambientais em que ela se insere e ao arcabouço e desenvolvimento psicológico que tenha alcançado, fazendo com que a evolução, o tratamento e até mesmo a consideração da manifestação como doença sejam bem diferentes em cada caso.

A estrutura mental tem a capacidade de pensamento, de abstração, de criação, de comunicação sofisticada, de emoção elaborada e de toda uma série de características que tornam o ser humano realmente diferente dos demais seres vivos e fazem com que ainda ocupe o "topo da hierarquia na Terra". É claro que tais capacidades podem ser utilizadas tanto para o bem quanto para o mal, pois assim como o homem tem o poder de construir coisas maravilhosas, também possui o maior potencial destruidor entre todos os animais, e, infelizmente, isso tem sido provado dia a dia.

Assim, a psiquiatria tem a tarefa, ao mesmo tempo nobre e desafiadora, de cuidar deste "milagre" em ação, que é a mente humana. Seu funcionamento é único e, na prática psiquiátrica, observa-se claramente a singularidade de cada pessoa que, mesmo apresentando distúrbios e sintomatologias semelhantes, podem demandar estratégias de cuidados bem distintas.

Toda essa explicação é para que fique mais clara a noção da necessidade de o tratamento tornar-se algo que deve ser analisado sob duas grandes vertentes: a do desconforto individual e a do desconforto social, que uma determinada manifestação possa causar à pessoa ou ao ambiente social no qual está inserida, respectivamente.

No caso do transtorno do deficit de atenção, esta é uma noção bastante interessante a ser considerada, pois se trata de uma descrição clínica relativamente recente que demorou a ser estabelecida. Isso decorreu, justamente, do fato de o TDA apresentar algumas características que, por vezes, podem tornar-se positivas em alguns aspectos, embora em outros possam causar grandes prejuízos na vida das pessoas com esse funcionamento mental. Assim, uma característica pode ser considerada patológica ou não, dependendo da circunstância em que ocorre ou ainda do meio sociocultural no qual está inserida, podendo resultar em uma atitude adequada ou não. Mas, quando ocorre realmente uma inadaptação, muito sofrimento pode ser evitado, caso seja feito o diagnóstico e instituído um tratamento assertivo.

A nosso ver, o critério de tratamento do transtorno do deficit de atenção deve basear-se na dialética CONFORTO X DESCONFORTO. Assim sendo, os próprios indivíduos TDAs devem avaliar se sua forma de viver, pensar ou agir está lhes proporcionando uma existência confortável ou não.

No caso dos adultos, a autoavaliação torna-se mais fácil por meio da própria observação advinda das sucessivas frustrações e/ou limitações nos principais setores vitais: social, afetivo-familiar e profissional. Porém, em se tratando de crianças e adolescentes TDAs, é necessário contar com a valiosa ajuda dos pais e/ou cuidadores na descrição de comportamentos que sinalizam grande inadaptação e sofrimento por parte desses pequenos e inquietos seres. Não se pode esquecer que todo sofrimento tem sua expressão consciente ou não. Não ter consciência de estar sofrendo não minimiza em nada o sofrimento e as consequências advindas desta maneira de viver.

Por tudo que foi dito, costumamos dividir o tratamento do transtorno do deficit de atenção em quatro grandes etapas: informação/conhecimento, apoio técnico, terapêutica medicamentosa e psicoterapia.

A seguir cada uma delas será vista individualmente. É importante salientar que muitos autores incluem o diagnóstico como etapa do tratamento do TDA. Isso é bastante compreensível, uma vez que nesses casos o diagnóstico quase sempre vem acompanhado de um caráter libertário que, por si só, produz efeitos terapêuticos. Afinal, saber que existe uma explicação científica para tantos equívocos, frustrações e até humilhações é, no mínimo, balsâmico para uma autoestima já tão abalada. E mais, tomar consciência de que esse comportamento pode ser "regulado", tal qual um sofisticado motor, na direção de seu melhor rendimento, faz criar na alma TDA o mais potente dos combustíveis humanos: a esperança que ressuscita nesses impulsivos criadores a capacidade de acalentar sonhos possíveis.

Informação/Conhecimento

"Saber é poder." O velho e sentencioso ditado nunca esteve tão atual como nos tempos globalizados. Afinal, só é possível optar por uma ajuda adequada através do saber advindo do conhecimento adquirido.

Quanto mais informação e conhecimento você tiver sobre o transtorno do deficit de atenção, mais capacitado estará para compreender toda a sua história de vida e para contribuir efetivamente na elaboração de um tratamento que lhe seja mais eficaz e confortável. Lembre-se de que nenhum tratamento eficiente pode nascer de posturas passivas. É preciso se informar, estudar, debater, trocar ideias, experiências, conhecer sobre remédios, terapias, alimentação, esportes e tudo o mais que possa contribuir para a melhora e a autossuperação.

Por isso, na hora de escolher um médico e/ou um terapeuta, certifique-se de que possuem profundo conhecimento sobre TDA, o que tornará o diálogo mais fácil e franco. Mais que profissionais de saúde, eles estarão a seu lado no árduo trabalho de construção e reconstrução de sua vida. Tente imaginar que ambos fazem parte de uma grande equipe de Fórmula 1 que tem como objetivo primordial conseguir que o carro da escuderia (no caso, você) apresente nas pistas (no caso, em sua vida) o seu melhor desempenho. Sua mente pode ter um imenso potencial, mas se não for bem "regulada" pode apresentar resultados muito aquém do esperado. Isso acabará por trazer frustrações à bagagem de sua experiência vital.

Mais do que enriquecimento cultural, a informação sobre o funcionamento TDA trará conhecimento que o auxiliará na compreensão de como o transtorno afeta sua vida e a de todos que se encontram a seu redor. Nesse aspecto, estender a informação e o conhecimento aos familiares, amigos, professores, colegas de trabalho e parceiros afetivos só irá contribuir de maneira positiva, uma vez que a convivência, a partir de então, será muito menos desgastante e, com certeza, mais compreensiva e produtiva.

Apoio técnico

Apoio técnico pode, em princípio, causar uma impressão errônea de algo burocrático e complicado que fará de sua vida uma grande tormenta. Mas, ao contrário do que possa parecer, o "apoio técnico" nada mais é do que um conjunto de pequenas medidas e atitudes que acabam por criar para o TDA uma estrutura externa capaz de facilitar em muito o seu cotidiano.

Dessa maneira, o apoio técnico consiste em criar uma rotina pessoal que facilite a vida prática de um TDA e que seja capaz de compensar, em parte, a sua desorganização interna. Se você é um deles ou apresenta características típicas, procure seguir os seguintes aspectos:

- Estabeleça horários regulares de maior produtividade, de repouso, de atividades físicas e de refeições.
- Organize cronogramas em relação às suas obrigações, projetos e lazer.
- Crie o hábito de ter uma agenda em que você anote, de véspera, os compromissos do dia seguinte, e confira tudo pela manhã antes de iniciar seu dia.
- Tenha sempre à mão blocos e canetas para pequenos lembretes, anotações e listas.

No início, você poderá ter um pouco de dificuldade em seguir uma rotina, mas, em pouco tempo, isso se tornará um hábito que lhe dará conforto e segurança e, principalmente, impedirá que você se perca em devaneios, ações sem objetivos, ou que gire "em torno do seu próprio eixo", sem sair do lugar.

Além de diminuir bastante a ansiedade e a sensação de incapacidade do TDA, uma rotina bem organizada tem ainda a possibilidade de fazer com que talentos sejam desenvolvidos, aperfeiçoados e expressados de forma concreta.

Se você não se sentir capaz de organizar seu apoio técnico sozinho, peça a ajuda das pessoas que convivem com você. Elas poderão lhe fornecer informações sobre seu funcionamento com mais precisão e pertinência do que você imagina. Recorra também ao seu terapeuta. Apesar de a terapia ter o objetivo principal de construir uma organização interna, como se verá adiante, muitas vezes é mais fácil e oportuno começar pela estruturação externa para se chegar ao mesmo fim.

Terapêutica medicamentosa

Falar sobre uma terapêutica medicamentosa sempre causa polêmica, principalmente se a medicação tem a função de alterar de alguma maneira as funções cerebrais. Durante muitos anos, a sociedade em geral dividia-se em dois grandes blocos em relação a esse assunto. De um lado, as pessoas contrárias ao uso de remédios e, de outro, aquelas que reconheciam a necessidade e a eficácia que o uso de medicamentos podia trazer a determinadas pessoas. Por mais curioso que possa parecer, as pessoas ditas contrárias ao uso de medicação costumavam se autointitular "naturalistas". Afirmavam que só se deveriam usar remédios "naturais". Pois bem, durante todo esse tempo, temos nos questionado sobre o que essas pessoas chamam de "natural". Afinal, natural é tudo que vem da natureza; sendo assim, veneno de cobra é natural, bem como os raios solares; no entanto, ambos podem matar em determinadas circunstâncias, como podem salvar vidas em outras. Será que a polêmica em torno de natural e não natural não seria sobre industrializado e não industrializado? A nosso ver, a polêmica persiste por pura falta de informação de alguns segmentos da sociedade que se sentem com autoridade para falar sobre o que desconhecem. Será que existe autoridade maior que aquela que visa aliviar o sofrimento humano em qualquer uma de suas expressões (físicas, mentais, materiais, sociais)? Admitimos que o processo de industrialização teve e tem suas distorções e efeitos maléficos para a sociedade, mas ignorá-lo sob seu aspecto positivo é ser radicalmente insensato. Foi através do processo de industrialização de vacinas que foram erradicadas inúmeras doenças que tanto afligiram a humanidade.

Não nos estenderemos mais sobre esse assunto, uma vez que não é objeto deste livro; no entanto, sentimo-nos na obrigação de destacá-lo, pois, frequentemente, crenças e conceitos falsos impedem, até hoje, que milhares de pessoas experimentem uma existência mais confortável.

Não se deve esquecer que o sofrimento humano não segue correntes filosóficas ou científicas, apenas busca uma saída que contribua para o seu alívio. Assim, os esforços nesse sentido devem ter caráter somatório, ou seja, reunir todas as condutas terapêuticas, visando ao bem-estar de cada indivíduo, como o único e primordial objetivo do processo a que se chama tratamento.

Sob esse enfoque, o uso de medicamentos no transtorno do deficit de atenção pode e deve ser visto como uma ferramenta a mais na busca de uma melhor qualidade de vida. Tal qual o motor de um automóvel que tem seu desempenho melhorado pelo uso de um bom óleo lubrificante que diminui o "atrito" de suas peças, o cérebro TDA pode ter seu funcionamento facilitado por meio da medicação, contribuindo para que o indivíduo TDA viva de maneira menos desgastante.

O uso de medicamentos no TDA costuma produzir resultados eficazes na grande maioria dos casos, contribuindo para uma mudança radical na vida dessas pessoas. Para que isso ocorra é fundamental que se definam os sintomas causadores de maior desconforto, em cada caso ou situação, da forma mais objetiva possível. Isso acontece pelo fato de o TDA ser um transtorno que pode se apresentar de diversas formas, e ainda ter uma série de comorbidades acopladas ao seu funcionamento basal.

Definir o que se deseja melhorar no comportamento vital de um TDA é essencial na escolha mais adequada de um medicamento. Por isso, o médico deve contar com a participação ativa do paciente ou de seus cuidadores (em caso de crianças) para atingir seu objetivo final.

Consideramos basicamente três categorias de medicamentos que podem ser usadas no tratamento do TDA: 1) os estimulantes; 2) os antidepressivos; 3) os acessórios. Muitas vezes, é necessária uma combinação para se produzir um efeito adequado.

As medicações são as mesmas para adultos e crianças, a diferença encontra-se na dose utilizada e na combinação indicada para cada caso.

A busca da medicação ou combinação medicamentosa eficaz, bem como sua dosagem ideal, pode levar algum tempo para ser estabelecida, uma vez que não há uma receita padrão que se aplique para todos os casos, como ocorre em determinadas situações médicas em que medicações e dosagens são preestabelecidas. Um bom exemplo é o do uso de antibióticos, em que até o tempo de aplicação da medicação é preconcebido pelos receituários médicos. No tratamento do TDA, cada caso deve ser visto de forma individual. É importante ter paciência nesse processo de busca de um esquema medicamentoso eficaz, já que em 80% dos casos ele é estabelecido e pode ajudar a pessoa a se concentrar melhor, a reduzir sua ansiedade, irritabilidade, oscilações de humor e a controlar seus impulsos.

Serão vistos em primeiro lugar os estimulantes. Entre eles destacam-se a Ritalina® (metilfenidato), Ritalina LA® (metilfenidato, de ação prolongada), Concerta® (metilfenidato, de ação prolongada), Dexedrine® (dextroanfetamina) e Adderal® (dextroanfetamina e outras anfetaminas). Até agora, os estimulantes são os medicamentos mais vastamente pesquisados e receitados para o TDA. Numerosos estudos têm estabelecido a segurança e a eficácia de tais substâncias para aliviar os sintomas do TDA. O metilfenidato é o mais comum de todos os estimulantes utilizados no tratamento de TDA e, especificamente no Brasil, é o único entre os estimulantes destacados que se encontra disponível no mercado farmacêutico.

Pode parecer contraditório o uso de psicoestimulantes em pessoas que apresentam hiperatividade física e mental. No entanto, pode-se observar na prática clínica que estas substâncias nos indivíduos com TDA produzem aumentos na concentração, diminuem a impulsividade e hiperatividade, além de atuarem na redução da ansiedade e na melhoria dos estados depressivos. Ao que tudo indica, os psicoestimulantes atuariam em áreas cerebrais que teriam uma ação inibitória sobre o pensamento humano, capacitando, desta maneira, as atividades de planejamento, previsão, análise de consequências e ponderação. Se considerarmos que estas áreas inibitórias encontram-se menos ativas nos cérebros TDAs, e que psicoestimulantes são capazes de estimulá-las, pode-se compreender, pelo menos em parte, a ação equilibrante que tais substâncias exercem no comportamento das pessoas com TDA.

Os psicoestimulantes, especialmente o metilfenidato, ainda são relacionados a concepções equivocadas que dizem respeito a dois aspectos principais: a fama de ter efeito de "droga" e de retardar o crescimento de crianças e adolescentes. Quanto ao primeiro aspecto, é relevante esclarecer que esses remédios não causam dependência, quando usados nas doses receitadas. Alguns estudos recentes sugerem, inclusive, que adolescentes TDAs que são apropriadamente tratados ficam menos propensos ao uso abusivo de álcool e outras drogas. Em relação ao retardamento do crescimento, gostaria de citar aqui o estudo de Manuzza, Klein e Bonagura, de 1991, considerado referência mundial no assunto, que esclarece que o uso de metilfenidato está associado apenas a um menor ganho ponderal (peso) e não estatural (altura), como se pensava anteriormente.

Em relação aos antidepressivos, destacam-se: Norpramin® (desipramina), Tofranil® (imipramina), Efexor® (venlafaxina), Zyban® (bupropiona), Prozac® (fluoxetina), Zoloft® (sertralina), Aropax® (paroxetina), Procimax® (citalopram), Lexapro® (escitalopram), Prolift® (reboxetina) e Strattera® (atomoxetina). Este último ainda não está disponível no mercado farmacêutico brasileiro.

Entre os antidepressivos utilizados no tratamento do TDA, a desipramina é o mais comumente usado pelos especialistas, pois é o antidepressivo mais pesquisado com esse objetivo. Além disso, o seu uso terapêutico em TDAs revelou efeitos semelhantes aos obtidos com os estimulantes sobre os sintomas-alvo do transtorno (atenção, impulsividade e hiperatividade). Seus efeitos terapêuticos costumam aparecer em, aproximadamente, 15 dias após o início de seu uso e, em geral, mostram-se eficazes com baixas posologias (10-30mg/dia), o que reduz muito qualquer possibilidade de efeitos colaterais indesejáveis (boca seca, queda de pressão e discreta retenção urinária).

A combinação de baixas doses da desipramina e metilfenidato costuma funcionar muito bem e tem a grande vantagem de evitar que se utilizem doses mais elevadas de uma ou de outra medicação. Esse fato é de extrema importância, uma vez que consideramos a terapêutica medicamentosa do TDA um processo regido pela seguinte regra básica: menores doses com maior eficácia.

Outro antidepressivo com ação específica para o tratamento do TDA é a atomoxetina (Strattera®), produzida pelo laboratório Eli Lilly, que pode ser prescrita tanto para adultos quanto para crianças. Por se tratar de um inibidor da recaptação de noradrenalina, tem como ação aumentar os níveis desse neurotransmissor nas fendas sinápticas (espaços entre um neurônio e outro). Embora não se conheça o papel exato da noradrenalina no tratamento do TDA, os cientistas acreditam que ela seja importante na regulação da atenção, da impulsividade e da atividade motora.

O uso dos demais antidepressivos, com exceção da desipramina e da atomoxetina, causa efeitos terapêuticos menos específicos sobre os sintomas-alvo do TDA, sendo suas indicações mais pertinentes quando nos deparamos com ansiedade, depressão e outros quadros comórbidos associados ao transtorno. Os mais utilizados são:

- Sertralina: tem se mostrado bastante eficaz nos quadros depressivos, pânico, fobias, ansiedade, sintomas obsessivo-compulsivos, irritabilidade, agressividade e hipersensibilidade emocional.
- Paroxetina, Citalopram e Escitalopram: ação significativa em estados depressivos, pânico e fobias.
- Fluoxetina: ação antidepressiva, principalmente em crianças e adultos jovens. Sua eficácia também é expressiva em transtornos alimentares, tensão pré-menstrual, hipersensibilidade emocional, irritabilidade e sintomas obsessivos.

• Bupropiona: atualmente é o antidepressivo mais utilizado em adolescentes TDAs com sintomas depressivos associados à intensa impulsividade, agressividade, irritabilidade e dependência química (cigarro, álcool, cocaína ou maconha).

• Venlafaxina: ação eficiente em quadros depressivos, de ansiedade, de transtornos alimentares e em casos de uso/abuso de cocaína.

É importante salientar que os efeitos colaterais dos antidepressivos utilizados para TDA costumam ser discretos. Isso ocorre pelo fato de, em geral, trabalhar-se com doses menores que as usualmente utilizadas em quadros depressivos de pacientes não TDAs. Doses elevadas dessas medicações em um indivíduo com comportamento TDA costumam produzir, além de efeitos colaterais desconfortáveis, quadros de intensa ansiedade e angústia. Por isso, deve-se permanecer atento às doses medicamentosas individualizadas, a fim de que possam ser tão eficazes quanto confortáveis.

E, por último, deve-se destacar o que resolvemos denominar medicações acessórias. Usamos esse termo para designar substâncias que não têm uso muito frequente no tratamento do TDA ou de suas comorbidades, mas que podem ser usadas em duas circunstâncias específicas:

1. Para amenizar efeitos colaterais da medicação principal, como no caso dos psicoestimulantes em doses mais elevadas que podem causar muita irritabilidade, insônia ou sintomas físicos em forma de taquicardia, sudorese ou diarreia. Nesses casos, os betabloqueadores (como propranolol) podem ser associados para reverter tais efeitos.

2. Para tratar certos aspectos isolados que não obtiveram melhora com a medicação principal. Nesse caso, a medicação principal trouxe muitos benefícios sem efeitos colaterais, mas não foi capaz de amenizar pequenos e importantes detalhes comportamentais tais como: acessos de raiva ou fúria, agitação física, intensa instabilidade de humor, ansiedade e insônia. Podemos então destacar a associação eficaz de algumas substâncias, tais como: lítio, ácido valproico, carbamazepina, oxcarbazepina, nadolol, propranolol, clonazepan, alprazolan e clonidina.

Antes de encerrar a parte do tratamento referente ao uso de medicações no TDA, gostaríamos de enfatizar alguns aspectos que consideramos fundamentais:

• Se você tem funcionamento TDA claro e ele provoca comprometimentos em sua vida social, profissional ou particular, a terapêutica farmacológica deve ser tentada, pois, para a maioria absoluta das pessoas com TDA, a medicação tem apresentado resultados extremamente úteis. Apenas em uma minoria, em torno de 15% a 20%, as medicações não se mostraram eficazes.

• A medicação, por si só, não constitui todo o tratamento do TDA. É apenas mais uma etapa no processo global de tornar a vida das pessoas mais confortável e produtiva. A etapa medicamentosa é um complemento útil e, muitas vezes, poderoso, mas jamais deve ser considerada isoladamente na complexa engrenagem de qualificar o cotidiano de um TDA.

• O uso de qualquer medicação deve ter a orientação e o acompanhamento de um médico especializado, com quem você tenha toda a liberdade e a quem tenha acesso para esclarecer dúvidas, obter informações atualizadas e compreender a ação e os efeitos que as medicações possam estar lhe ocasionando em todos os seus aspectos.

• Crie uma disposição positiva em relação à sua medicação. Afinal, ela vem somar esforços no sentido de melhorar sua vida. Se você não colaborar, será impossível encontrar a medicação mais adequada e na dose ideal. Lembre-se de que você e a medicação estão jogando no mesmo time.

• Não tome nenhuma decisão de interromper o tratamento sem a orientação de seu médico. É provável que, ao se sentir bem, você pense erroneamente: "Não preciso mais de remédios, estou ótimo." Isso poderá transformar a sua vida em uma gangorra existencial: "Sinto-me mal, tomo remédios; sinto-me bem, não tomo os remédios..." e assim sucessivamente. Não se permita viver assim, é necessário o mínimo de estabilidade emocional na vida para que se possa viver bem.

• Para que você não se esqueça de tomar os remédios de forma correta, estabeleça um ritual diário em relação a eles. Associe-os com coisas do seu cotidiano: refeições, horários de chegada ou saída do trabalho, hora de acordar ou dormir.

• Se você faz parte da pequena parcela de pessoas para as quais as medicações não são eficazes ou não podem ser utilizadas por outros motivos clínicos, lembre-se de que as etapas não medicamentosas do tratamento ainda podem trazer grandes benefícios. Nesses casos, a psicoterapia torna-se fundamental na medida em que fornece orientação, apoio e busca de soluções para as diversas dificuldades enfrentadas pelas pessoas com comportamento TDA.

Psicoterapia

Normalmente, a imagem do terapeuta que mergulha fundo no passado e na infância de seu paciente, esperando encontrar as respostas e causas dos males que o afligem no presente, é a figura mais comum e sedimentada no imaginário popular para representar o processo de tratamento da psicoterapia. No entanto, em nossa experiência, temos tido a oportunidade de observar que não é esse o procedimento mais adequado para os pacientes TDAs.

É óbvio que os TDAs, como toda e qualquer pessoa, sofrem com problemas de fundo emocional, passaram por experiências significativas durante a infância e em família e conservam suas marcas por toda a vida. Mas, quando se pensa nas causas ou origens das dificuldades de um TDA, incluindo aí não só baixa autoestima, mas também problemas práticos, como desorganização, não se pode jamais esquecer que a origem é biológica. Há um substrato biológico que determina o funcionamento mental TDA e que está indiretamente por trás da maioria dos problemas emocionais das pessoas com TDA.

Podemos citar vários casos em que TDAs padecem sob o peso de uma crônica baixa autoestima. Certamente que a maior parte deles desenvolveu essa autoimagem negativa em consequência de anos de crítica e incompreensão por parte de familiares, professores e pessoas de convivência próxima. Mas, mesmo que tivessem tido a sorte de contar com um ambiente familiar e educacional favorável e incentivador, ainda assim iriam enfrentar dificuldades com sua tendência à distração, aos esquecimentos, à impulsividade e à desorganização característica do TDA. Em suma, em algum momento iriam desenvolver uma desagradável autopercepção de inadequação e incapacidade. Principalmente no momento em que, já adultos, precisarão agir por conta própria e assumir responsabilidades crescentes.

Em síntese, acreditamos que psicoterapias voltadas para a busca de *insight* e discussão de vivências infantis não promovam o alívio do desconforto nem a estruturação de que um TDA necessita. É preciso que a psicoterapia para casos de TDA seja diretiva, objetiva, estruturada e orientada a metas. Uma abordagem psicoterápica dotada dessas características, e que consideramos particularmente útil para o TDA, além de vários outros transtornos, é a chamada terapia cognitivo-comportamental (TCC).

Esta abordagem psicoterápica caracteriza-se pela busca de mudanças nos afetos e comportamentos por meio da chamada reestruturação cognitiva, isto é, substituir crenças, pensamentos e formas de interpretar as situações que sejam negativistas e disfuncionais por outras formas de pensar e perceber o mundo menos depressogênicas/ansiogênicas e mais baseadas na realidade. Além disso, o paciente também é instruído a realizar "tarefas de casa" e planejar com o terapeuta um conjunto de atividades que incluem desde enfrentamentos graduais de situações que ele se considera incapaz de realizar até o estabelecimento de uma agenda que estruture rotinas de atividades que proporcionem prazer e satisfação. Assim, resumidamente, o paciente, além de ser educado sobre seu problema, também é instruído a mudar comportamentos e formas de interpretar e perceber situações que sejam irrealistas e desadaptativas e que estejam contribuindo para manter ou agravar seu problema, ou mesmo para deflagrar o transtorno.

Principais focos da terapia

É claro que os objetivos e o desenrolar do processo psicoterapêutico poderão variar de paciente para paciente. Afinal, mesmo pessoas que partilham de um mesmo transtorno diferem entre si, quanto à sua história de vida, experiências, aprendizagens, ambiente e a forma como veem o mundo. Cabe ao terapeuta instituir uma relação de confiança e cooperação com o paciente e, juntos, estabelecerem as metas da terapia. O terapeuta deve ser flexível o bastante para adaptar as técnicas psicoterápicas ao seu paciente, sem jamais deixar de perseguir os objetivos estabelecidos para o tratamento em função das necessidades e demandas dele e das especificidades de seu transtorno.

Assim sendo, para casos de TDA, alguns focos específicos para intervenção já podem ser previamente delineados, embora a forma e o ritmo com que esses focos serão abordados sejam cuidadosamente adaptados pelo terapeuta a cada paciente.

De uma maneira geral, o terapeuta cognitivo-comportamental irá trabalhar com treino em solução de problemas, treino em habilidades sociais, relaxamento, estabelecimento de agendas de atividades rotineiras e de objetivos e reestruturação de formas de pensar e lidar com problemas que podem estar sendo prejudiciais.

Os treinos em solução de problemas e em habilidades sociais visam minimizar os comportamentos impulsivos que estejam influenciando negativamente em suas relações sociais e em seus afazeres cotidianos. O treino em solução de problemas é particularmente importante para aqueles TDAs que sejam intensamente ansiosos e que fiquem desorientados diante do surgimento de algum problema, real ou imaginário. Esta técnica consiste em treinar o paciente TDA a identificar claramente um problema, gerar diversas soluções possíveis e escolher a que lhe parece mais adequada. O resultado será objetivamente discutido com o terapeuta mais tarde.

Assim, o paciente TDA habitua-se a ponderar cuidadosamente, em vez de reagir na base do impulso sem antes ter avaliado as possíveis consequências. Um objetivo importante seria aumentar o nível de tolerância à frustração. Outro impacto positivo seria o de minimizar a típica ruminação ansiosa na qual os TDAs mergulham, quando precisam cumprir algo ou resolver determinado problema. Deixar-se tomar pela expectativa ansiosa, em vez de estabelecer possíveis soluções, pode paralisar o TDA, ou fazê-lo adiar a resolução do problema, o que aumentará a ansiedade ainda mais.

Já o treino em habilidades sociais tem como objetivo melhorar a qualidade das interações sociais de um TDA, minimizando o impacto de atitudes e falas impulsivas e irrefletidas que criam dificuldades nos relacionamentos. Mais uma vez, o TDA é instruído a planejar, passo a passo, formas de abordar e resolver problemas de interação, além de tentar compreender o ponto de vista dos outros e não interpretar precipitadamente suas atitudes e intenções. Obviamente, isso inclui o treinamento em assertividade, que consiste em defender seus próprios pontos de vista e direitos de forma respeitosa e ponderada. A ansiedade e o senso de inadequação que acompanham o TDA podem fazê-lo ora engolir sapos, ora reagir explosivamente. Para não engolir o sapo, não é necessário dar-lhe pauladas. Da mesma forma, para não dar pauladas no sapo, também não se deve obrigar a engoli-lo. É possível seguir o caminho do meio.

O treino em relaxamento também é direcionado para minimizar o impacto da ansiedade e de suas manifestações somáticas (físicas), como taquicardia, tensão muscular, tremores e outras sensações desagradáveis. Ele inclui reeducação da respiração, da postura e o aprendizado de alguma técnica de relaxamento a ser empregada com regularidade.

Um componente da terapia, especialmente importante para pacientes TDAs, refere-se ao estabelecimento de uma agenda de atividades semanais em que sejam definidos horários fixos para a realização de tarefas específicas, assim como momentos de lazer que devem incluir exercícios físicos ou a prática de algum esporte. Os exercícios físicos são fundamentais para o manejo do estresse. Neste ponto, pode-se tentar estabelecer também uma reeducação alimentar, por meio da diminuição da ingestão de substâncias prejudiciais, como a cafeína.

O estabelecimento de agendas cumpre a função de estruturar as tarefas e atividades de um TDA, de modo a impedir que se enrede em sua própria desorganização e fique pulando de uma atividade inacabada para outra. Os efeitos benéficos mostram-se tanto em um aumento de produtividade como em um aumento no senso de autodomínio experimentado pelo paciente TDA. A falta de organização e estruturação, aliada à ansiedade, pode causar no TDA a sensação de ser como uma barata tonta, equilibrando-se em uma corda bamba. Ele não sabe se vai ou se volta, e acaba parado no mesmo lugar, sem resolver o problema, e em crescente ansiedade.

Horários e atividades estabelecidos ajudam a diminuir o senso de caos interno e externo. Uma função muito importante a ser cumprida pelo terapeuta consiste em incentivar o paciente a manter essa agenda depois de estabelecida.

A etapa de reestruturação cognitiva é um dos pilares da terapia. Trata-se da reestruturação das formas de pensar, interpretar os eventos, e o modo como o indivíduo vê a si mesmo. Para um TDA isso é extremamente importante, pois, como temos pontuado ao longo deste livro, sua autoestima costuma ser bastante baixa, e ele tende a enxergar a si próprio como incompetente ou inadequado, e o mundo como um ambiente ameaçador e punitivo. Ora, tais crenças têm efeitos nefastos na vida de qualquer pessoa e, principalmente, na de um TDA, pois se sabe que eles geralmente têm um nível de energia e iniciativa muito grande, contudo subaproveitado, quando o indivíduo funciona sob a influência de crenças tão autodesvalorizantes.

Desse modo, o terapeuta investiga quais pensamentos e crenças são estes e passa a examinar sua veracidade e funcionalidade com base em dados reais. Muitas vezes, o paciente está tão corroído por sua baixa autoestima que simplesmente não enxerga evidências óbvias de sua competência e de seu valor como ser humano. O TDA tende a focar nos aspectos negativos de qualquer situação, desconsiderando todo o resto, que muitas vezes pode ser mais frequente e significativo. Os aspectos positivos estão lá, mas o julgamento obnubilado do TDA só permite antever os pontos negativos. Tais pontos escuros podem não ser tão escuros assim. Podem ser cinzentos ou até mesmo claros como água, mas a instabilidade emocional e o julgamento prejudicado do TDA não lhe permitem vislumbrar isso, senão com muito esforço.

O terapeuta busca conduzir o TDA, por meio de questionamentos e descoberta guiada, a conclusões mais acertadas de si mesmo, não tão carregadas de matizes emocionais. Apresenta argumentos racionais e baseados em evidências e leva o paciente a ponderar cuidadosamente sobre sua forma de pensar e interpretar os eventos. Como exemplo, podemos citar o caso de um TDA, intensamente ansioso, que desmoronava sempre que seu gerente reclamava de algum procedimento no trabalho. Essas ocasiões bastavam para estragar todo o resto de sua semana, pois eram interpretadas por ele como sinais claros de sua incompetência e de como era malquisto pelo superior. A terapeuta questiona, então, o que significa para ele ser criticado: "Significa que sou incompetente, que estão questionando meu trabalho." Perguntado pela terapeuta com que frequência o gerente costumava interpelá-lo, revelou que normalmente era uma vez na semana e nem todas as semanas. A terapeuta, percebendo que ele estava focando em um fato não tão frequente e significativo, o interpela sobre o que significaria a ausência de reclamações, durante todos os outros dias. O paciente acaba concluindo, surpreso: "Que ele está satisfeito com meu trabalho..."

Assim, o terapeuta precisa saber conduzir o paciente TDA, baseado em evidências concretas, a reformular alguns conceitos negativos de si mesmo, que acabam levando-o a interpretar as situações como mais perigosas e ameaçadoras do que são na realidade, gerando um grau de sofrimento significativamente desproporcional aos problemas enfrentados em seu cotidiano.

Subiu a construção como se fosse máquina/
Ergueu no patamar quatro paredes sólidas/
Tijolo com tijolo num desenho mágico/
Seus olhos embotados de cimento e lágrima/
Sentou pra descansar como se fosse sábado/
Comeu feijão com arroz como se fosse um
príncipe

"Construção"
(Chico Buarque)

CAPÍTULO 15

Mercado de Trabalho do Futuro e os TDAs

TRANSFORMANDO SONHOS EM REALIDADE: O NOVO MERCADO DE TRABALHO E O DESTAQUE PARA AS POTENCIALIDADES CRIATIVAS...

Estamos ensaiando os primeiros passos do século XXI e muitas transformações já ocorreram, estão ocorrendo ou estão por vir.

Dentre as mudanças mais significativas que estamos testemunhando, podemos destacar as modificações no mercado de trabalho e as expectativas lançadas sobre o papel do novo trabalhador.

Talvez a grande maioria da população mundial não esteja atenta para o fato de que neste exato momento estamos vivenciando uma verdadeira revolução no trabalho, sem precedentes, e de que a globalização da economia tem sido o grande combustível a alimentar e acelerar todo esse complexo mecanismo. Os modos de produção taylorista e fordista vivem seus estertores. A imagem da fábrica cinzenta, com operários executando tarefas repetitivas e alienantes ao longo de uma esteira rolante, em uma linha de produção fatigante e maciça, cujo sucesso dependia em parte da velocidade de seus executores e do número de horas trabalhadas, começa a adquirir em nossas mentes aquela tonalidade pastel com que, normalmente, costumamos tingir nossas lembranças mais remotas.

Vivemos uma era de transição de uma economia de produção para uma economia de serviços. Isso significa dizer que o número de trabalhadores intelectuais, que prestam serviços, vem superando, a cada momento, o número de trabalhadores do setor industrial e agrícola. São estes os setores responsáveis pela mecanização, caracterizados pelo trabalho braçal de toda uma época da economia mundial, a qual designamos de sociedade industrial.

O trabalho mecânico vem sendo gradualmente substituído por aqueles maquinários tecnológicos e natimortos que aprendemos a chamar de robôs. Colocando à parte as polêmicas suscitadas por seu advento e o desemprego que tem causado nesta fase de reestruturação dos modos de produção, devemos chamar a atenção para o fato de que o homem começa agora a se libertar do trabalho sem significação, sem inspiração e amor que, caso assim não fosse, não poderia ser executado por máquinas programadas.

Caminhamos a passos largos para uma sociedade em que observamos o crescimento sustentado de uma camada de trabalhadores, advinda principalmente de uma classe média bastante heterogênea, na qual encontramos artistas, produtores agrícolas não latifundiários, pequenos e médios empreendedores e, principalmente, intelectuais com capacitação técnica (advogados, médicos, economistas). Para essa camada, o poder reside no saber e não naquilo que possuem, pois o saber advém não apenas do ensino formal, mas também daquele que surge das superações das dificuldades enfrentadas no cotidiano, e que faz do homem simples um grande sábio.

Há quem chame esta nova etapa da economia mundial de "sociedade pós-industrial". Uma era em que a maioria dos trabalhadores não terá mais que lidar com produtos materiais oriundos de sua produtividade, como ocorria no interior das grandes fábricas ou fazendas. O resultado final dessa nova forma de produzir é a informação e o conhecimento originados de ideias imateriais.

Os postos de trabalho criados de agora em diante exigirão que as pessoas pensem, criem, se inspirem, se emocionem, raciocinem, opinem, discordem, se apaixonem, detestem; enfim, que tenham um trabalho verdadeiramente humano, que só pode ser concebido pelos que possuem mentes e corações, cognições e sentimentos.

Tal trabalho não depende, necessariamente, do número de horas trabalhadas e, muito menos, do esforço físico empregado. Ele depende da inteligência — seja racional, emocional ou social — e da intuição, qualidades que, por mais que o homem tente, jamais conseguirá conceder a qualquer máquina. Esse trabalho não precisará de "mão de obra", mas sim de mentes, corações e, também, de mãos talentosas, integradas em um ser humano completo e único, que, finalmente, poderá ver significação em seu trabalho e crescer com ele.

Dessa maneira, podemos antever que as pessoas criativas tenderão a ter papel mais expressivo e determinante no mercado de trabalho dos tempos pós-industriais.

Diante desse novo panorama que se descortina, quais são os papéis que podem estar reservados àquelas pessoas descritas ao longo deste livro: os "TDAs"?

Já podemos imaginar o que um trabalho repetitivo e monótono faz a um TDA. Tarefas pré-organizadas e preestabelecidas, das quais não se pode desviar um milímetro, acabam por minar o que um TDA tem de mais precioso a oferecer: a sua criatividade. E não só esta, mas também seu entusiasmo, sua energia e, até mesmo, parte de sua alegria de viver. Assim como em outros setores da vida, um trabalho que pode ser caracterizado como repetitivo e sem novidades não é apropriado para alguém que tenha um funcionamento TDA.

Por outro lado, a nova forma de se pensar o trabalho, que está em gestação, cai como uma luva para um profissional TDA.

Não pretendemos afirmar, entretanto, que uma pessoa TDA seja o tipo de profissional talhado para esse mercado de trabalho futuro. Pessoas não TDAs podem ser tão adequadas quanto as TDAs.

O que queremos dizer é que esse é o cenário em que os TDAs poderão se sentir à vontade, como jamais se sentiram antes, no estilo antigo de trabalho. Esse é o momento em que os TDAs poderão mostrar o que têm de melhor e deixar para trás a época em que eram chamados de desorganizados, esquecidos, estabanados, indisciplinados e tantos outros adjetivos negativos, pelo fato de não serem tão adaptáveis às funções burocráticas.

Até então, pessoas TDAs adaptavam-se especialmente bem às atividades ligadas à arte: interpretação, composição, dramaturgia, dança, canto, poesia, música, literatura. É fácil entender o porquê: no trabalho artístico, pode-se criar e inovar; não é preciso se ater necessariamente a horários, rotinas, regras rígidas e todas as outras exigências de outros tipos de trabalho.

Nas carreiras artísticas, o TDA podia dar livre curso à imaginação e à criatividade, e, assim, florescia o que ele tinha de melhor. Daí, podemos entender a grande incidência de artistas que são TDAs. É a máxima que se confirma: "a pessoa certa no lugar certo".

No entanto, com a necessidade cada vez maior de criatividade e inventividade em outras carreiras, pessoas TDAs passarão também a se destacar no mercado de trabalho comum e perderão o estigma de bagunceiros que fazem de sua própria mesa um quebra-cabeça de papéis e memorandos, difícil de ser decifrado.

Um exemplo de tal cenário já se encontra a pleno vapor no mercado revolucionário da Internet. Empresas ligadas à grande rede, à implementação de projetos, à publicidade, criação e *design* de *sites*, jogos e *softwares* geralmente apresentam uma característica de informalidade em seu ambiente de trabalho. Vestimentas não tão formais, liberdade de locomoção, horários mais flexíveis e um ambiente que tenta prover ao máximo o bem-estar e a sensação de estar em casa têm sido a tônica nessas empresas.

O ar puro, que começa a invadir o futuro mercado, envolverá, sedutoramente, profissionais das mais diversas áreas, ávidos por se sentirem valorizados e livres de preconceitos. Serão atraídos pelo espaço que terão para respirar, sonhar e criar.

Cabe, no entanto, lembrar aos "fiscais da natureza" e aos viajantes de plantão que não se trata de uma oficialização de suas (des)ocupações. Estamos falando de criar, plantar e colher frutos, e, para tanto, é necessário manter um sistema de organização.

No caso específico do TDA, assim como imaginamos o que um trabalho repetitivo e monótono sugere ao seu espírito, podemos vislumbrá-lo no extremo oposto: pairando no ar, sem local de pouso; muitas ideias brilhantes e nenhum projeto pronto.

Por isso, ressaltamos a grande importância de o TDA saber-se TDA, sendo este um dos mais relevantes motivos que nos levaram a escrever sobre tal assunto. Como já foi apontado anteriormente, o TDA costuma ter a autoestima minada, por se sentir um peixe fora d'água.

Conhecer e entender o próprio comportamento é fundamental para uma mudança de perspectiva que possibilite um redirecionamento em sua vida. É importante ao TDA aceitar o seu modo de ser e acreditar sinceramente em seus talentos, transformando, assim, potencialidades criativas em atos criativos. Ele tem que adquirir confiança para buscar seu espaço nesse novo sistema de trabalho, pois, para se adaptar bem a essa viagem ao futuro, é preciso levar na bagagem, junto com a criatividade, a coragem e a perseverança: a coragem de errar e a perseverança de continuar tentando. É necessário que tenha um ideal firme e que creia no seu próprio sonho para torná-lo real.

E, para tanto, um TDA precisa persistir nessa empreitada com a curiosidade da criança e a paixão do adolescente; a determinação do adulto e a confiança serena da maturidade.

BIBLIOGRAFIA

Alexander, Franz G. & Selesnick, Sheldon T. *História da Psiquiatria: Uma Avaliação do Pensamento e da Prática Psiquiátrica desde os Tempos Primitivos até o Presente*. Trad. Aydano Arruda. 2ª ed. São Paulo: IBRASA, 1980.

American Psychiatric Association — DSM-IV-TR. *Manual Diagnóstico e Estatístico de Transtornos Mentais.* Trad. Dornelles, C. 4ª ed. rev. Porto Alegre: Artmed, 2002.

Alsobrook, J.P. & Pauls, B.L. Molecular Approaches to Child Psychopathology. *Hum Biol.* 1998 Abr: 70 (2):413-432.

Arnold, L.E.; Jensen, P.S. Attention-Deficit Disorders. In: Kaplan H.I., Saddock, J.B., orgs. *Comprehensive Textbook of Psychiatry.* 6ª ed. Baltimore: Williams & Williams, 1995:2295-2310.

August, G.T.; Steart, M.A.; Holmes, C.S. A Four-year Follow-up of Hyperactivity Boys with and Without Conduct Disorder. *Br J. Psychiatry*, 1983; 143:192-198.

Badinter, Elisabeth. *Um É o Outro: Relações entre Homens e Mulheres*. Trad. Carlota Gomes. Rio de Janeiro: Nova Fronteira, 1986.

Baubar, Françoise. *Einstein: Uma Literatura de Galileu a Newton*. Trad. Arlindo José Castanho. Lisboa: Edições 70, 1984.

Ballard, S.; Bolan, M.; Burton, M.; Snyder, S.; Pasterczyk-Seabolt, C.; Martin, D. The Neurological Basis of Attention Deficit Hyperactivity Disorder. *Adolescence 1997*; 32 (128):855-861.

Barkley, R.A.; Guevremont, D.C.; Anastopoulos, A.D. et al.: A Comparison of Tree Family Therapy Programs for Treating Family Conflicts in Adolescents with Attention-Deficit Hyperactivity Disorder. *J. Consult Clin Psychol*, 1992: 60:450-462.

Barkley, Russell A. *Attention — Deficit Hyperactivity Disorder: A Handbook for Diagnosis and Treatment.* 2ª ed. Nova York: The Guilford Press, 1998.

Barlow, David H. *Manual dos Transtornos Psicológicos*. Trad. Maria Regina Borges Osório. 2ª ed. Porto Alegre: Artmed, 1999.

Barrickman, L.L.; Perry, P.J.; Allen, A.J. et al. Bupropion versus Methyphenidate in the Treatment of Attention-Deficit Hyperactivity Disorder. *J. Am Acad Child Adolesc Psychiatry*, 1995; 34:649-657.

Belli, Alexandra Amadio. *TDAH! E Agora?: A Dificuldade da Escola e da Família no Cuidado e no Relacionamento com Crianças e Adolescentes Portadores de Transtorno de Deficit de Atenção/Hiperatividade*. São Paulo: STS, 2008.

Bradley, Jonathan & Dubinsky, Hélene. *Compreendendo seu Filho de 15-17 Anos*. Trad. Nádia Lamas. Rio de Janeiro: Imago, 1995.

Brando, Marlon & Lindsey, R. Brando. *Canções que Minha Mãe me Ensinou*. Trad. J.E. Smith Caldas. São Paulo: Siciliano, 1994.

Brennan, Richard. *Gigantes da Física: Uma História da Física Moderna Através de Oito Biografias*. Trad. Maria Luiza X. de A. Borges. Rio de Janeiro: Jorge Zahar, 1998.

Bruce, Alberts; Bray, Dennis; Lewis, Julian; Raff, Martin; Roberts, Keith & Watson, James D. *Biologia Molecular da Célula*. Trad. Amauri Braga Simonetti. 3ª ed. Porto Alegre: Artmed, 1997.

Bueno, Alexei. *Entusiasmo*. Rio de Janeiro: Topbooks, 1997.

Burns, John E. *O Caminho dos Doze Passos: Tratamento de Dependência de Álcool e outras Drogas*. São Paulo: Loyola, 1997.

Canguilhem, Georges. *O Normal e o Patológico*. Trad. Maria Thereza Redig de Carvalho Barrocas e Luiz Octávio Ferreira Leite. 4ª ed. Rio de Janeiro: Forense Universitária, 1995.

Carlsson, Ulla & Feilitzen, Cecilia Von (orgs.). *A Criança e a Violência na Mídia*. Trad. Maria Elizabeth Danto Matar, Dinah de Abreu Azevedo. São Paulo: Cortez; Brasília: UNESCO, 1999.

Carneau, Guy. *Será que Existe Amor Feliz? Como as Relações entre Pais e Filhos Condicionam nossos Relacionamentos Amorosos*. Trad. Guilherme Teixeira. Rio de Janeiro: Campus, 1999.

Carrol, K.M.; Rounsanville, B.J. History and Significance of Childhood Attention Deficit Disorder in Treatment-Seeking Cocaine Abusers. *Comprehensive Psychiatry*, 1993; 34:75-82.

Carter, Betty & McGoldrick, Monica. *As Mudanças no Ciclo de Vida Familiar: Uma Estrutura para a Terapia Familiar*. Trad. Maria Adriana Veríssimo Veronese. 2ª ed. Porto Alegre: Artmed, 1995.

Castro, Ruy. *Anjo Pornográfico: A Vida de Nelson Rodrigues*. São Paulo: Companhia das Letras, 1992.

___________. *Saudades do Século 20*. São Paulo: Companhia das Letras, 1994.

Catterall, W. & Mackie, K. Local Anesthetics. In: Hardman, J.G., Limbird, L.E., Mofinoff, R.W., Gilman, A.G., (orgs.) *The Pharmacological Basis of Therapeutics*. 9ª ed. Nova York: McGraw-Hill, 1996: 331-349.

Chaffee, John. *Pense Diferente, Viva Criativamente: 8 Passos para Tornar a sua Vida mais Completa*. Trad. Márcia Paredes. Rio de Janeiro: Campus, 2000.

Classificação de Transtornos Mentais e de Comportamento do Cid-10: Descrições e Diretrizes Diagnósticas. Coord. Organização Mundial da Saúde. Trad. Dorgival Caetano. Porto Alegre: Artmed, 1993.

Cury, Augusto Jorge. *Treinando a Emoção para Ser Feliz*. São Paulo: Academia de Inteligência, 2001.

D'Oliveira, Maria Adelaide Daudt. *Fantasma do Medo: Síndrome do Pânico*. Rio de Janeiro: Gryphus, 1997.

Damásio, António R. *O Erro de Descartes: Emoção, Razão e Cérebro Humano*. Trad. Dora Vicente Georgina Segurado. São Paulo: Companhia das Letras, 1996.

Diagnostic and Statistical Manual of Mental Disorders. Washington, DC: American Psychiatry Association, 1994.

Dilts, Robert B. *A Estratégia da Genialidade: Como Utilizar a Programação Neurolinguística para Entender a Genialidade de Albert Einstein*. Trad. Heloisa Martins-Costa. São Paulo: Summus, 1999.

DuPaul, George J. & Storner, Gary: *TDAH nas Escolas*. São Paulo: M. Books, 2007.

Faraone S.V.; Biederman, J.; Weber, W.; Russell, R.L. Psychiatry, Neuropsychological, and Psychosocial features of DSM-IV Subtypes of Attention-Deficit/Hyperactivity Disorder: Result from a Clinically Referred Sample. *J Am Acad Adolesc Psychiatry* 1998: 37(2):185-193.

Gaiarsa, José Angelo. *Imagem e Individualidade*. São Paulo: Gente, 2001.

Gardner, Howard. *Inteligência: Um Conceito Reformulado*. Trad. Adalgisa Campos da Silva. Rio de Janeiro: Objetiva, 2000.

Gardner, Howard: *Mentes que Criam: Uma Anatomia da Criatividade Observada Através das Vidas de Freud, Einstein, Picasso, Stravinsky, Eliot, Graham e Gandhi*. Trad. Maria Adriana Veronese. Porto Alegre: Artmed, 1996.

Giros, B.; Jaber, M.; Jones, S.R.; Wightman, R.M.; Caron, M.G. Hyperlocomotion and Indifference to Cocaine and Amphetamine in Mice Lacking the Dopamine Transporter. *Nature*, 1996; 379:606-612.

Gleick, James. *Acelerado: A Velocidade da Vida Moderna — O Desafio de Lidar com o Tempo*. Rio de Janeiro: Campus, 2000.

Goldman, Robert; Klatz, Ronald & Berger, Lisa. *A Saúde do Cérebro: Como Melhorar a Memória, a Concentração e a Criatividade em Todas as Idades*. Trad. Maurette Brandt. Rio de Janeiro: Campus, 1999.

Goleman, Daniel. *Mente Meditativa: As Diferentes Experiências Meditativas no Oriente e no Ocidente*. Trad. Marcos Bagno. 2ª ed. São Paulo: Ática, 1996.

Goleman, Daniel; Kaufman, Paul & Ray, Michael. *Espírito Criativo*. Trad. Gilson César Cardoso de Sousa. São Paulo: Cultrix, 1992.

Gordon, Richard. *A Assustadora História da Medicina*. Trad. Aulyde Soares Rodrigues. 3ª ed. Rio de Janeiro: Ediouro, 1996.

Graeff, Frederico Guilherme & Guimarães, Francisco Silveira. *Fundamentos de Psicofarmacologia*. São Paulo: Atheneu, 1999.

Greco, Alessandro (entrevistador). *Homens de Ciência*. São Paulo: Conrad, 2001.

Gross, Paul R.; Levitt, Norman & Lewis, Martin W. The Flight Form Science and Reason. *Annals of the New York Academy of Sciences*. Vol. 775. Nova York, 1996.

Henker, B.; Whalen, C.K. Hyperactivity and Attention Deficits. *Am Psychol* 1989; 44:216-223.

Hernandez, L.; Hoebel, B.G. Food Reward and Cocaine Increase Extracelular Dopamine in Nucleus Accaumbens as Measured by Microdialysis. *Life Sci*, 1988; 42:1705-1393.

Hetem, Luiz Alberto B. & Graeff, Frederico G. *Ansiedade e Transtornos de Ansiedade*. Rio de Janeiro: Editorial Científica Nacional, 1997.

Hirigoyen, Marie-France. *Assédio Moral: A Violência Perversa no Cotidiano*. Trad. Maria Helena Kühner. Rio de Janeiro: Bertrand Brasil, 2000.

Hollander, J.E. The Management of Cocaine-Associated Myocardiallschemia. *New England Journal of Medicine*, 1995; 333:1267-1272.

Houzel, Suzana Herculano. *O Cérebro nosso de Cada Dia: Descobertas da Neurociência Sobre a Vida Cotidiana*. 1ª ed. Rio de Janeiro: Vieira & Lent, 2002.

Hurd, Y.L. & Herkenham, M. Molecular Alteration in the Neostriatum of Human Cocaine Addicts. *Synapse*, 1993; 13:357-369.

Hynd, G.W.; Semrud-Clikeman, M.; Lorys, A.R. et al. Corpus Callosum Morphology in Attention Deficit Hyperactivity Disorder: Morphometric Analisys of MRI. *J Learning Disabilities*, 1991; 24:141-146.

Ito, Lígia M. (org.) *Terapia Cognitivo-Comportamental para Transtornos Psiquiátricos*. Porto Alegre: Artmed, 1998.

Izquierdo Moreno, Ciriaco. *Educar em Valores*. Trad. Maria Lucia Garcia Prada. São Paulo: Paulinas, 2001.

Jamison, Kay Redfield. *Uma Mente Inquieta: Memórias de Loucura e Instabilidade de Humor*. Trad. Waldéa Barcellos. São Paulo: Martins Fontes, 1998.

Khalsa, Dharma Singh & Stauth, Cameron. *Longevidade do Cérebro: Um Programa Médico Revolucionário que Aprimora a Mente e a Memória*. Trad. Sylvia Bello. Rio de Janeiro: Objetiva, 1997.

Koob, G.F. Dopamine Addiction and Reward. *Semin Neurosc*, 1992; 4:139-148.

Korkman, M. & Pesonen, A.E. A Comparison of Neuropsychological Test Profiles of Children with Attention Deficit-hyperactivity Disorder and/or Learning Disorder. *J Learling Disabilities*, 1994; 27:383-392.

Lasch, C. *A Mulher e a Vida Cotidiana: Amor, Casamento e Feminismo*. Trad. Heloísa Martins Costa. Rio de Janeiro: Civilização Brasileira, 1999.

Lévy, Pierre. *As Tecnologias da Inteligência: O Futuro do Pensamento na Era da Informática*. Trad. Carlos Irineu da Costa. Rio de Janeiro: Editora 34, 1993.

Lou, H.C.; Henricsen, L.; Bruhn, P. et. al. Striatal Disfunction in Attention Deficit and Hyperkinetic Disorder. *Arch Neur*, 1990; 46:48-52.

Machado, Angelo. *Neuroanatomia Funcional*. 2ª ed. São Paulo: Atheneu, 1998.

Mattos, Paulo. *No Mundo da Lua: Perguntas e Respostas sobre Transtorno do Déficit de Atenção com Hiperatividade em Crianças, Adolescentes e Adultos*. São Paulo: Lemos Editorial, 2001.

Maturana, Humberto R. & Varela, Francisco J. *Árvore do Conhecimento: As Bases Biológicas da Compreensão Humana*. Trad. Humberto Mariotti e Lia Diskin. São Paulo: Palas Athenas, 2001.

Miller, Geoffrey F. *Mente Seletiva: Como a Escolha Sexual Influenciou a Evolução da Natureza Humana*. Trad. Dayse Batista. Rio de Janeiro: Campus, 2000.

Miller, M.V. *Terrorismo Íntimo: A Deterioração da Vida Erótica*. Trad. Dirce de Assis Cavalcanti. Rio de Janeiro: Francisco Alves, 1995.

NA Narcotics Anonymous. *Só por Hoje: Meditações Diárias para Adictos em Recuperação*. EUA: Narcotics Anonymous World Services, Inc, 2000.

Nachmanovitch, Stephen. *Ser Criativo: O Poder da Improvisação na Vida e na Arte*. Trad. Eliana Rocha. São Paulo: Summus, 1993.

Nesse, Randolph M. & Williams, George C. *Por Que Adoecemos?* Trad. Priscilla Martins Celeste e Ana Beatriz Rodrigues. Rio de Janeiro: Campus, 1997.

Norwood, Robin. *Mulheres que Amam Demais*. Trad. Cristiane Perez Ribeiro. São Paulo: Siciliano, 1998.

O'Callaghan, M.J. & Harvey, J.M. Biological Predictors and Comorbidity of Attention Deficit and Hyperactivity Disorder in Extremely Low Birthweigth Infants at School. *J. Paediatr Child Health*, 1997 *Dec*: 33(6):491-496.

Ornish, Dean. *Amor & Sobrevivência: A Base Científica para o Poder Curativo da Intimidade*. Trad. Aulyde Soares Rodrigues. Rio de Janeiro: Rocco, 1998.

Ornstein, Robert. *A Mente Certa: Entendendo o Funcionamento dos Hemisférios*. Trad. Ana Beatriz Rodrigues e Priscilla Martins Celeste. Rio de Janeiro: Campus, 1998.

Pauls, D.L. Genetic Factors in the Expression of Attention-Deficit Hyperactivity Disorder. *Journal of Child and Adolescent Psychopharmacology* 1991; 1:353-360.

Pessoa, Fernando. *Livro do Desassossego*: Composto por Bernardo Soares, Ajudante de Guarda-livros na Cidade de Lisboa. São Paulo: Companhia das Letras, 1999.

Phillips, Asha. *Dizer Não: Impor Limites é Importante para Você e seu Filho*. Trad. Denise Cabral Carlos de Oliveira. Rio de Janeiro: Campus, 2000.

Piaget, Jean. *A Linguagem e o Pensamento na Criança*. Trad. Manuel Campos. São Paulo: Martins Fontes, 1999.

__________. *Psicologia da Inteligência*. Trad. Nathanael C. Caxeiro. 2ª ed. Rio de Janeiro: Zahar, 1983.

Pontes, Cleto Brasileiro. *Psiquiatria: Conceitos e Práticas*. 2ª ed. São Paulo: Lemos Editorial, 1998.

Prado Júnior, Bento (org.). *Filosofia e Comportamento*. São Paulo: Brasiliense, 1982.

Ratey, John J. & Johnson, Catherine. *Síndromes Silenciosas: Como Reconhecer as Disfunções Psicológicas Ocultas que Alteram o Curso de Nossas Vidas*. Trad. Heliete Vaitsman. Rio de Janeiro: Objetiva, 1997.

Revista da Abead, ano 1; nº ½. *Álcool e Drogas*. Dezembro 1998.

Ridgeway, Andrei. *Vida Psíquica: Desperte os seus Dons*. Trad. Beatriz Penna. Rio de Janeiro: Nova Era, 2002.

Rival, Michel. *Os Grandes Experimentos Científicos*. Trad. Lucy Magalhães. Rio de Janeiro: Jorge Zahar, 1997.

Roob-Bernstein, Robert & Roob-Bernstein, Michele. *Centelhas de Gênios: Como Pensam as Pessoas mais Criativas do Mundo*. São Paulo: Nobel, 2001.

Savater, F. *Ética para meu Filho*. Trad. Monica Stahel. São Paulo: Martins Fontes, 2000.

Schumaher, Schuma & Vital Brazil, Érico. *Dicionário Mulheres do Brasil: de 1500 até a Atualidade — Biográfico e Ilustrado*. Rio de Janeiro: Jorge Zahar, 2000.

Silva, Marco Aurélio Dias da. *Todo Poder às Mulheres: Esperança de Equilíbrio para o Mundo*. São Paulo: Editora Best Seller, 2000.

Silva, Mylton (Myltainho) Severino da. *Se Liga! O Livro das Drogas*. Rio de Janeiro: Record, 1997.

Speicher, Carl E. *A Escolha Certa: Um Guia de Exames Complementares para o Médico*. 3ª ed. Trad. Maria de Fátima Azevedo e Telma Lúcia de Azevedo Hennemann. Rio de Janeiro: Guanabara Koogan, 2000.

Springer, Sally P. & Deutsch, Georg. *Cérebro Esquerdo, Cérebro Direito*. Trad. Thomaz Yoshiura. São Paulo: Summus, 1998.

Steinberg, Shirley R. & Kincheloe, Joe L. (orgs.). *Cultura Infantil: A Construção Corporativa da Infância*. Trad. George Eduardo Japiassú Bricio. Rio de Janeiro: Civilização Brasileira, 2001.

Sulloway, Frank J. *Vocação: Rebelde — Ordem de Nascimento, Dinâmica Familiar e Vidas Criativas*. Trad. Vera Ribeiro. Rio de Janeiro: Record, 1999.

Szasz, Thomas S. *Dor e Prazer: Um Estudo das Sensações Corpóreas*. Rio de Janeiro: Zahar, 1975.

Teixeira, Mônica. *O Projeto Genoma*. São Paulo: Publifolha, 2000.

Torres, Albina Rodrigues; Shaviit, Roseli Gedanki & Miguel, Eurípedes Constantino (orgs.). *Medos, Dúvidas e Manias: Orientações para Pessoas com Transtorno Obsessivo-Compulsivo e seus Familiares*. Porto Alegre: Artmed, 2001.

Tzelepis, A.; Schubiner, H. & Warbasse, L.H. Differential Diagnosis and Psychiatry Comorbidity Patterns in Adult Attention Deficit Disorder. In: Nadeau, K.G. (org.). *A Comprehensive Guide to Attention Deficit Disorder in Adults*. Nova York: Brunner/Mazel, 1995: 35-57.

Van Caneghem, Denise. *Agressividade e Combatividade*. Trad. Marcus Penchel. Rio de Janeiro: Zahar Editores, 1980.

Webster, Richard. *Por que Freud Errou: Pecado, Ciência e Psicanálise*. Rio de Janeiro: Record, 1999.

Wilber, Ken. *Transformações da Consciência: O Espectro do Desenvolvimento Humano*. Trad. Sônia Maria Christopher. São Paulo: Cultrix, 1999.

Wilens, T.E. & Biederman, J. The Stimulants. *Psychiatr Clin North Am* 1992; 41:191-222.

Winnicott, Donald W. *Privação e Delinqüência*. Trad. Álvaro Cabral. São Paulo: Martins Fontes, 1999.
Wiser, William. *Os Anos Loucos: Paris na Década de 20*. Trad. Leonardo Fróes. Rio de Janeiro, José Olympio, 1993.

CONTATOS DA DRA. ANA BEATRIZ BARBOSA SILVA

Homepage: www.medicinadocomportamento.com.br

YouTube: www.youtube.com.br/anabeatrizbsilva

E-mail: contato@medicinadocomportamento.com.br

E-mail: anabeatriz@medicinadocomportamento.com.br

Twitter Ana Beatriz: www.twitter.com/anabeatrizpsi

Twitter Medicina do Comportamento: www.twitter.com/mcomport

Este livro foi impresso na
LIS GRÁFICA E EDITORA LTDA.
Rua Felício Antônio Alves, 370 – Bonsucesso
CEP 07175-450 – Guarulhos – SP
Fone: (11) 3382-0777 – Fax: (11) 3382-0778
lisgrafica@lisgrafica.com.br – www.lisgrafica.com.br

Impresso em 2010